O TRIBUNAL DA QUINTA FEIRA

MICHEL LAUB

O tribunal da quinta-feira

4ª reimpressão

COMPANHIA DAS LETRAS

Copyright © 2016 by Michel Laub

Grafia atualizada segundo o Acordo Ortográfico da Língua Portuguesa de 1990, que entrou em vigor no Brasil em 2009.

Capa
Raul Loureiro

Foto de capa
Tijolo laranja (série Shortcuts), Fabio Miguez, 2013. Óleo e cera sobre tela, 35 × 44 cm. Cortesia da Galeria Nara Roesler.

Preparação
Márcia Copola

Revisão
Adriana Bairrada
Jane Pessoa

Os personagens e as situações desta obra são reais apenas no universo da ficção; não se referem a pessoas e fatos concretos, e não emitem opinião sobre eles.

Dados Internacionais de Catalogação na Publicação (CIP)
(Câmara Brasileira do Livro, SP, Brasil)

Laub, Michel
    O tribunal da quinta-feira / Michel Laub— 1ª ed. — São Paulo :
Companhia das Letras, 2016.

    ISBN 978-85-359-2832-7

    1. Ficção brasileira I. Título.

16-08024   CDD-869.3

Índice para catálogo sistemático:
1. Ficção : Literatura brasileira 869.3

[2021]
Todos os direitos desta edição reservados à
EDITORA SCHWARCZ S.A.
Rua Bandeira Paulista, 702, cj. 32
04532-002 — São Paulo — SP
Telefone: (11) 3707-3500
www.companhiadasletras.com.br
www.blogdacompanhia.com.br
facebook.com/companhiadasletras
instagram.com/companhiadasletras
twitter.com/cialetras

UMA SIGLA

1.

Ter um corpo de quarenta e três anos não impede que se pense como alguém de quinze. Um amigo meu gosta de fazer piadas sobre merda. Ele manda um WhatsApp: interditei o vestiário. Preciso comer mais linhaça, ele diz. Linhaça é saúde, granola e frutas, o reino das polpas cheias de fibras que tornam consistente o produto das entranhas, um bolo de micro-organismos vivos dos quais só nos lembramos ao sentar no vaso. É muito deselegante começar falando disso? Também lembramos do que somos feitos quando pensamos na morte.

2.

Desculpem, mas preciso falar de algo deselegante. Uma lista, talvez, dos germes, bactérias, fungos, vermes e protozoários que estiveram e estão neste corpo de quarenta e três anos. Não tenho lembrança do que é ter icterícia, das gripes da infância. Aos seis anos, sarampo (um cobertor de lã, a voz baixa da minha mãe falando com o pediatra no telefone). Aos sete, operação de adenoides (desenhos de navios no consultório, uma farmácia cujo atendente tinha cara de peixe). Mais tarde, sinusite. Alergia a pólen. Uma catapora tardia aos trinta e um, coceira e prostração, uma semana esperando as bolhas ressecarem e a visita a um infectologista que fez um relato sobre os vírus mais contagiosos da natureza — o meu numa lista com dengue, rubéola, pólio e caxumba.

Doenças que nunca tive: coqueluche, malária. Associo bronquite ao mergulho na piscina gelada da Associação Atlética Oswaldo Cruz, São Paulo, 1988. Eu poderia seguir contando a história desta maneira, uma dermatite no couro cabeludo que aparece uma vez por ano, a labirintite que me faz ficar enjoado quando estou no banco de trás do carro. Tanto tempo depois eu penso nos WhatsApps sobre digestão e excreção. O nome do meu amigo é Walter, e demorou para eu saber detalhes da vida particular dele. Para ele resolver, num dia como qualquer outro, contar aquela piada velha: o problema de tomar café é que dá vontade de fumar, e aí dá vontade de beber, e aí dá vontade de cheirar, e quando cheiro eu sempre acabo dando o cu.

Eu troco mensagens há anos com Walter — e-mails, chat. Nós almoçamos a cada uma ou duas semanas, e a conversa é como uma extensão dos textos, a correspondência dos anos 2000 que não é igual a uma troca de cartas no século XIX, não há formalismo nem gelo a quebrar porque estamos familiarizados com o humor um do outro, com o vocabulário e a gramática. Não é preciso perguntar, e então, meu caro, o que tem feito, nem dizer, há quanto tempo, meu caro, espero que esteja tudo bem com você e com os seus, porque naquele mesmo dia eu ouvi o apito do celular e lá estava o tom familiar de Walter por escrito, diretamente de casa ou do banheiro de um shopping, e se for melhor para a audiência eu posso me limitar a outros aspectos da biografia do meu amigo. Ele tem quarenta e três anos como eu. Ele é publicitário como eu. Posso falar da família dele, de onde ele nasceu e de como nos conhecemos, das pessoas que estiveram ao redor dele e ao meu redor nas últimas quatro décadas. Posso até falar de outros gostos dele, do prato que ele pedia nesses almoços, de como ele se posiciona sobre a situação política, econômica e moral do Brasil em 2016 se isso tiver alguma importância, mas no fundo o assunto não terá mudado.

3.

O assunto é o mesmo desde que uma farmácia de San Francisco, Califórnia, pendurou em sua vitrine fotos de torsos masculinos cheios de manchas roxas. Era 1981, e naquela vizinhança todo mundo praticava o que antigamente era chamado de inversão, pederastia, troca-troca, chuca. Todo tipo de refugiado ia para lá — garotos que escaparam do linchamento em cidades do Meio-Oeste, garotos expulsos de casa porque foram pegos mexendo no rímel da mãe, dentistas de meia-idade que largaram mulher e filhos em busca dos resquícios do sonho libertário dos anos 1960. Uma vez vi uma entrevista com um dos moradores locais, ele descrevia o que considerava a *guerra de uma geração*, o Vietnã de quem fez dezoito ou vinte quando a primeira daquelas fotos foi pendurada na farmácia, enquanto para Walter ainda demoraria dois anos: em 1983 ele estava em Bariri, a trezentos quilômetros de São Paulo, cidade com trinta mil habitantes em cujos arredores o pai dele tinha uma fazenda, quando Hélio Costa apareceu no *Fantástico* percorrendo hospitais e conversando com médicos e pacientes dos Estados Unidos. A reportagem usava a sigla por extenso: a a-i-de-esse é a epidemia mais violenta do século. A ciência enfrenta um de seus maiores desafios. Quinze países notificaram casos. Há crianças infectadas. Setenta e cinco por cento dos atingidos morrerão em pouco tempo, os dias finais com episódios alternados ou simultâneos de tuberculose, encefalite, meningite, pneumonia, toxoplasmose, herpes-zóster, citomegalovírus e sarcoma de Kaposi.

Uma lista de como o mundo seria se tivesse continuado como no dia anterior a isso tudo: duas ou três gerações vivas, quantos engenheiros, bancários, cientistas, contadores, quantos livros e filmes e discos, e teatro e concertos e circo e dança, quantas ideias e sonhos e dinheiro poupado e famílias que não foram destruídas. As imagens que a TV mostrava, 1981: o atentado ao papa João Paulo II, o general Figueiredo montando a cavalo antes de uma ponte de safena em Cleveland, um gol de Zico e ninguém nas arquibancadas do Maracanã avisado sobre o que nem Hélio Costa sabia ainda. Um dia amanhecendo em Bariri, 1983: uma cidade como qualquer outra do interior. A quermesse e o coreto. O prefeito, o louco oficial, o travesti que tinha as bochechas deformadas de silicone. Uma vez os amigos de Walter beberam e foram procurar o travesti. A casa dele era conhecida. Ele abria a porta para quem aparecesse, oferecia um conhaque e sabia quem eram aqueles meninos, a família de cada um, quem era o filho do médico, do delegado e do industrial. O piso da sala era de cimento. Havia uma imagem da Irmã Dulce e um aparelho de som. Walter viu os amigos mexendo nos discos, botando uma música de Cyndi Lauper, aplaudindo quando o travesti fez sua dança imitando a cantora, e então ele tirou a camisa, depois o sutiã, e quando ele abaixou a calcinha os amigos o seguraram e bateram nele com um pedaço de madeira. Eles repetiram os golpes na altura dos quadris e dos rins, e o travesti ganiu como um animal na chuva, e como teria sido se Walter não tivesse assistido àquela cena e às cenas dos dias seguintes, os amigos rindo e contando vantagem sobre quem tinha dado mais pauladas na bicha velha? Vocês viram como a bicha velha chorava? As lágrimas borrando a maquiagem? Walter se mudou para São Paulo também por causa disso, e as visitas a Bariri se tornaram raras, o pai se dando conta de que o filho não voltaria para ser fazendeiro nem traria uma noiva para ganhar bênção, e como teria sido se Walter não fizesse faculdade, esta é a capital dos imigrantes, doze milhões de habitantes e tantas oportunidades para quem tem braços e juventude, e a história dele não tivesse se tornado parecida com a minha?

4.

Para mim começa um pouco mais tarde. Meu nome é José Victor, nasci em São Paulo e aos quinze anos fazia natação na Associação Atlética Oswaldo Cruz. Era 1988, setembro ou outubro, lembro da cor opaca dos azulejos e das pegadas de barro depois da chuva. A água tinha gosto de gelo. Havia limo nas frestas da laje. Eu estava com dois amigos, e um deles contou que um puteiro perto da praça da República deixava entrar estudantes de qualquer idade. Aceitei o convite por impulso, mas fui para o vestiário pensando se ainda era possível inventar uma desculpa. Tomei banho, botei a roupa molhada num saco plástico, os cabelos em contato com o ar do início da noite, e entrei no ônibus sem saber o que diria. Tanta coisa que pode acontecer para quem é virgem aos quinze anos, uma indisposição, a minha mãe que havia pedido para eu estar em casa às oito, o dinheiro que eu poderia alegar que esqueci.

O puteiro ficava no quinto andar de um prédio sem elevador. Rock Hudson já havia morrido e corriam histórias sobre Lauro Corona e Freddie Mercury. Quem abriu a porta foi uma senhora com traços indiáticos, que me apresentou uma senhora de traços mongóis, que me levou para o quarto e disse, pode deixar que estou acostumada. Ela tinha as unhas vermelhas e abriu a embalagem da camisinha com os dentes. Ela desenrolou a borda do látex e não segurou a ponta para o ar sair. Eu estava a dois terços, ficando mais flácido a cada segundo, e ela disse não precisa ser um bom menino, pode se servir à vontade, e eu me concentrei como podia até que fiquei pronto para subir em cima dela, a mão me guiando, uma sensibilidade que não era muito diferente da minha própria mão até que na terceira estocada senti um calor diferente e ela disse pode ser malvado agora, isto, não precisa tomar cuidado, e eu pensei não posso olhar para esta cara de mongol me pedindo para ir bem fundo, até o fim meu menino mau faz o que quiser comigo, e eu pensei não posso terminar tão rápido preciso me concentrar em outra coisa, e só depois me dei conta de que a sensibilidade aumentada se devia ao rompimento do látex e ao contato direto da pele com a muco-sa e os fluidos.

Lauro Corona morreu em 1989. Freddie Mercury morreu em 1991. Em pleno Vietnã da Geração Seguinte, ficou difícil não pensar neste jogo estatístico — a porcentagem de material orgâ-nico que pode passar por um furo na camisinha, as chances de alguém levantar da cama e ir até a pia lavar uma superfície do próprio corpo lacerada por um ato que pode ser esquecido em duas horas ou nunca mais. Mas naquela noite eu voltei para casa como os meus dois amigos: fiz o relato dos detalhes sobre a mulher mongol, o entusiasmo que era um pouco de alívio porque eu não esperava que fosse tão, assim, *natural*. Uma dúzia de esto-cadas, e a partir da terceira a borracha estoura e eu me torno outra pessoa, uma biografia contada em atos de bravura tão naturalmen-te masculinos que excluíam o medo e a dúvida, até que vieram os dias seguintes — quando apareceram os sintomas da bronquite que eu teria todo início de primavera, uma reação alérgica desencadeada pelo pólen e a poeira urbana e a temperatura da piscina da Associação Atlética Oswaldo Cruz, mas que em 1988 eram coincidências demais para serem interpretadas assim.

Eu também assistia ao *Fantástico*. Foram anos de matérias sobre milagres religiosos, fantasmas que apareciam à beira da estrada para avisar de acidentes, o sumiço do menino Carlinhos e o espião búlgaro do veneno no guarda-chuva. A casa da minha família ficava no Sumaré, em 1983 eu dormia com a luz do corredor acesa, havia um quintal escuro e cheio de árvores que gemiam enquanto Hélio Costa informava que a a-i-de-esse era mais contagiosa que a hepatite e mais implacável que a leucemia. No consultório do médico que tratou minha bronquite tantos anos depois, fiquei com medo de que ele fizesse as perguntas que aprendi naquela reportagem: você tem tido febres, suores noturnos, andou perdendo peso? Lembro do gosto de anis do Bactrim que tomei por dez dias, não gosto de anis até hoje por causa disso, lembro dos acessos de tosse e do peito chiando no escuro de um sonho ruim — o pulo e o momento em que você acende a luz para se olhar no espelho, o pavor de descobrir a verdade às três da manhã por um sinal na pele ou nas mucosas ou por gânglios inchados no pescoço e nas axilas.

5.

Episódios de dúvida nos anos que seguiram a bronquite: o dia em que voltei da praia e percebi que minha barriga estava coberta de manchas (era sol), o dia em que descobri pontos violáceos na parte lateral da cintura (eram estrias), o dia em que achei caroços ao apalpar as virilhas (era a cartilagem da região). A medicina corrigiu o tempo médio entre a contaminação e os sintomas da a-i-de-esse de dois para cinco anos, depois oito, dez e indefinidamente, a eternidade após a ida ao puteiro da praça da República e após cada outro, como se diz, *contato íntimo* que tive. Querem uma lista disso também? A primeira menina que beijei sem precisar pagar se chamava Mônica. Só eu abri a boca ao encostar meus lábios nos dela. No dia seguinte contei para meia dúzia de colegas de escola, ela ficou sabendo e nunca mais olhou na minha cara.

O nome da minha primeira namorada era Alice. Uma vez ficamos sozinhos na casa dela. No quarto havia uma colcha xadrez e uma gaveta com um frasco de lança-perfume no fundo, e eu tirei a roupa dela e não consegui botar a camisinha. Eu de novo comecei a ficar nervoso, o efeito do lança-perfume passa rápido, e é automático quando você decide qual é a prioridade no momento. Você sente o calor do primeiro toque desprotegido. O calor se torna o que você é, não dá para pensar em outra coisa fora a sensação de estar ali. O que você sabe sobre riscos e prevenção cai num ponto cego que só volta a ser iluminado dias ou anos depois, e da hipótese da mulher mongol você passa para a hipótese Alice (com quem ela havia tido contatos íntimos, já que não era virgem?), a hipótese Adriana (dois meses juntos, eu aos dezenove, ela morando sozinha e um namorado anterior que tinha contatos íntimos sistemáticos com outras mulheres), a hipótese Giovana (que voltou para Ribeirão Preto e de quem ninguém mais teve notícia).

Não sei o número total da lista. Já li bastante sobre probabilidades de infecção — pesquisas com casais de sorologia divergente, pesquisas com quem toma remédio, com quem não toma, com quem usa espermicida, com quem é circuncidado, com quem tem lesões locais visíveis ou microscópicas, com quem já teve sífilis ou corrimento ou está com dor de garganta ou no auge da menstruação, mas qual o efeito de uma estatística populacional no caso concreto, você e uma pessoa que acaba de conhecer entrando no banheiro de um bar úmido e quente, você e sua biografia de sensualidade, quatro doses de uísque e um pouco de pó e esta mulher sorrindo com os dentes mais brancos que você já viu enquanto abre os botões da camisa, tem certeza de que trancou a porta, quero que você me coma toda, a calcinha dela e o seu orgulho de macho ao mostrar potência nos instantes em que fica tarde para lembrar que *quem ama protege?*

Depois de Giovana foram cinco namoradas mais sérias. Há casas e viagens nessas histórias. Uma noite num restaurante que não existe mais. Apelidos que nunca mais foram usados. Há roupas, fotografias, presentes, bilhetes, discussões que se resolveram na hora ou depois ou nunca. Com cada uma foram longos períodos de contatos íntimos reiterados, que se somam aos contatos íntimos anteriores de ambos com outras pessoas, números que se somam e que no final mostram uma loteria na qual um adulto pós-1981 joga centenas ou milhares de vezes. A primeira dessas namoradas sérias se chamava Carolina. A segunda, Ana Paula. A terceira, Simone. O nome da quarta é Tereza, apelido Teca, também nascida em São Paulo, arquiteta filha de arquitetos, foi meu único casamento e nos separamos três meses atrás.

6.

Quem ama protege é um slogan dos anos 1990, talvez dos 2000. Demorou até que os publicitários do governo chegassem a essas três palavras respeitosas, quase doces. O primeiro anúncio que lembro sobre o tema parafraseava um poema de Drummond: João amava Maria, que amava José, que amava Pedro, que morreu pesando quarenta quilos no hospital Emílio Ribas. Dá para evocar uma sequência assim quando penso no casamento com Teca. Ela teve namorados antes de mim. Também teve períodos em que foi convidada a entrar no banheiro de um bar quente e úmido. Também tinha um número a ser posto numa tabela de probabilidades, para a qual era indiferente se os encontros foram motivados por desejo, amizade, vingança, tristeza ou um tique fisiológico em busca do próprio fim.

É curioso lembrar de Teca na noite em que a conheci, vê-la já naquela ocasião como minha futura ex-mulher, pinçar as coisas que ficarão marcadas em meio a todo um universo de datas, fatos e nomes esquecidos no caminho. No apartamento da minha então futura ex-mulher havia uma estante, fiquei olhando para as lombadas, é um dos momentos em que ninguém pode fingir ser o que não é, a escolha dos livros que denota um hábito ou uma mentira, um gosto cultivado ou não, próprio ou dependente da opinião alheia, e que no futuro fará você ter saudades desse aspecto específico da pessoa ou se vingar enchendo a memória de condescendência, quando não de um tom vitorioso de crueldade. Não havia mais do que dez livros na casa de Carolina, minha primeira namorada séria. Ana Paula, a segunda: apenas volumes técnicos de marketing, um romance de Jorge Amado lido no colégio e discos muito ruins e um termostato. Simone, a terceira: uma horta de temperos, todo tipo de bijuteria étnica, todo tipo de apetrecho para fumar maconha, dias inteiros em que ela ficava chapada e não conseguia dizer uma única coisa que prestasse. Teca tem a mesma idade que eu, e os pais são sócios no escritório onde ela fez sua carreira arquitetônica demonstrando a sensibilidade daquela estante de livros, uma seleção com curadoria atenta, os clássicos da área dela e também de arte e fotografia, alguns desses títulos em francês, outros em inglês, alguma ficção, alguns volumes de quadrinhos, tudo convenientemente arrumado e convenientemente bagunçado para repararmos que a dona da casa usa e conhece o que está ali.

Os pais de Teca passam os fins de semana no Litoral Norte. Eles têm uma propriedade, quase uma chácara pelas dimensões, a dois quilômetros da estrada de São Sebastião em direção ao interior da Mata Atlântica. Nós íamos para lá uma ou duas vezes por mês, durante o ano todo, e era comum haver outros hóspedes porque eram seis quartos e dois andares e uma piscina que aproveitava a água de um riacho, e também sauna e churrasqueira, e uma TV de quarenta e oito polegadas para ver filmes no ar condicionado. É bom sentar na varanda no fim de uma tarde úmida e quente. É bom tomar suco de melancia, beterraba e gengibre. O sr. Teco pai e a sra. Teca mãe trazem a bandeja com os copos longos do suco que eles mesmos prepararam, na cozinha que eles mesmos utilizam pois o caseiro e a caseira estão cuidando de suas coisas, e a empregada é uma pessoa querida que dá uma ajuda ótima mas não está à disposição vinte e quatro horas como se os hóspedes fossem bebês de engenho do século XVI. Na casa de praia do sr. Teco pai e da sra. Teca mãe todos fazem a própria cama e recolhem a própria louça, e tudo é muito despojado porque a família e seus amigos estão conscientes de que nasceram privilegiados num país de profundas fraturas sociais, onde se deve promover a cidadania e encontrar maneiras menos predatórias de lidar com recursos naturais escassos, e o urbanismo, a educação, a cultura e a arte são veículos para legar um mundo melhor para os nossos filhos, e como eu poderia explicar para uma pessoa que fala assim e pensa assim e tem um modo assim de vida a graça de uma piada sobre merda, sangue e morte?

7.

Há tipos e tipos de humor, e Teca sempre esteve do lado inteligente e civilizado dessa divisão. Ela não riria de cenas de cambalhotas ou tortas na cara. Não riria de um escravo que foge dos campos de algodão e é pego tentando roubar uma melancia no Alabama, 1862. Não riria de um homem de barba e solidéu que fica longe do forno porque tem medo de ser confundido com uma pizza na Polônia, 1944. Teca ria apenas das tiradas sutis daqueles filmes a que assistíamos na casa da praia, produções em que o diretor gosta de exibir sua inteligência e civilização em referências culturais plantadas aqui e ali, no meio de um diálogo ou de um cenário, para que o público perceba a citação e se sinta culto por isso e elogie o filme para retribuir essa espécie de suborno — uma trilha de jazz, o nome de meia dúzia de poetas e artistas plásticos, uma personagem que usa piteira e olha pela janela de um pequeno café numa Paris ou Berlim em preto e branco.

Na noite em que botei duas malas no carro e fui embora de casa, depois que as diferenças entre as minhas piadas e as de Teca se tornaram inconciliáveis, assim como as diferenças entre nossa visão de mundo, nossos planos e a maneira como cada um lidou com a estabilidade inevitável de um casamento de quatro anos — naquela noite Teca assistiu a um desses filmes antigos e delicados. Eu passei por ela carregando a primeira mala, voltei para apanhar a segunda, então fui até o pátio para me despedir do cachorro, um animal sem passado nem temor pelo que aconteceria nos dez minutos seguintes, quando enchi a tigela dele de água e passei a mão na cabeça dele e tirei uma foto dele para ao menos ter uma recordação. Teca estava com os olhos fixos na TV, e os sons antigos e delicados emitidos pelo filme eram baixos a ponto de eu achar que minha então já ex-mulher havia mexido no volume só para ouvir meus passos pela última vez, e ela se manteve nessa posição enquanto por alguns segundos eu pensei se ainda valia a pena dizer qualquer coisa, algo como *tchau* ou *então, estou indo*, ou ir até o sofá e dar um beijo leve na bochecha de uma pessoa que eu achava que nunca mais iria ver.

Não houve briga nos últimos dias do casamento. Não houve agressão ou cenas de desespero. Não houve apelos de reconciliação ou conversas dolorosas em que um dos dois admite erros ou pede desculpas por algo específico e inequívoco. Ali estava Teca, mais uma pessoa que eu perderia como um dia perdi Carolina, Ana Paula e Simone. Nada fica desses nomes além de uma história que facilmente se transforma em indiferença, quando não em egocentrismo, como a ferida de guerra de alguém apaixonado pelo próprio passado, o charmoso homem de meia-idade que teve relacionamentos profundos hoje disfarçados de melancolia, então não deixa de ser irônico que minha ex-mulher possa ter sido algo além disso — alguém com quem tenho outro tipo de marca em comum, das poucas que um ex-marido ou ex-namorado ou ex-contato íntimo eventual não consegue esquecer ou romantizar, apenas porque três meses depois de eu ir embora ela me ligou para conversar sobre as mensagens de Walter.

8.

Você pode escapar de uma época, mas não de todas as épocas. Bem-vindos ao tribunal. A audiência pode tomar seus assentos neste dia bonito de 2016. À esquerda, ocupando os blocos de arquibancada que se enfileiram até a linha do horizonte, está a acusação. À direita, no banquinho sem encosto, está o acusado Walter, quarenta e três anos, publicitário brasileiro com prêmios internacionais. Um metro e oitenta e um de altura. Cabelos castanhos. Prato preferido, frango com quiabo. Bebida preferida, gim. Walter é portador do vírus da a-i-de-esse e está à disposição da promotoria para responder perguntas, ser advertido, ouvir insultos, ajoelhar no milho e ter as feridas cobertas com sal. Quando o réu descobriu que estava infectado? O que fez ao saber da notícia? Como foi voltar para casa nesse dia? O réu pode, por favor, descrever passo a passo a saída da consulta ou do laboratório, o barulho das ruas na cidade de São Paulo, o guarda de trânsito que apita, a britadeira da obra, as pessoas entrando no supermercado porque precisam alimentar seus filhos e lavar suas roupas e limpar o piso de suas cozinhas? O réu deu oi para o porteiro ao chegar? Pegou o elevador social ou o de serviço? Abriu a porta dando uma ou duas voltas na chave? É verdade que num dia assim o réu larga o envelope com o exame sobre a mesa, abre a janela, senta numa poltrona e fica em silêncio até que o cansaço se instale junto com o crepúsculo de uma rua arborizada no Jardim América, e pelo menos agora você não pensa se vai ligar para seu pai, sua mãe ou um amigo, e como que por encanto não sente vontade de chorar, o corpo que obriga você a se concentrar na própria exaustão, os olhos que ardem levemente quando fecham, a cabeça, o tronco, as pernas e você agora sem sapatos, e o réu desliza rumo ao sono escuro de quem acaba de fazer a primeira escolha entre as muitas que serão discutidas, uma por uma, neste julgamento?

9.

Muitos laboratórios contam com um serviço de assistência psicológica para o caso de um resultado positivo. Caio Fernando Abreu recebeu a notícia em 1994, contou para algumas pessoas próximas, ficou dois dias tranquilo em casa e então como que apagou. Sua descrição é a de uma bruma de macas, gritos, ganchos nos pulsos e frio nos pés, um limbo de Propofol do qual ele acordou na UTI com suspeita de tumor no cérebro, e pelos vinte e sete dias seguintes teve a primeira das batalhas contra o que, usando uma definição de São Francisco de Assis para o corpo humano, chamou de *meu irmão burro*.

Caio Fernando Abreu morreu em 1996. Walter sempre falava de um conto dele no qual o personagem tem uma teoria sobre a merda, a repugnância de saber que nos resumimos a um *tubo que engole e desengole as coisas*, a fatalidade para esse personagem de o amor ser sempre *sinônimo de cu*. Meu irmão burro que toma suas próprias decisões, que não está nem aí para a sociedade ou a história. O acaso que faz o irmão burro nascer ou ter a experiência que determinará seu gosto sexual numa época em que isso significa a liberdade ou a morte. Nesse sentido, eu imagino como tudo começou para Walter: talvez ele tenha olhado para um amiguinho em Bariri, ou para o professor de educação física, ou então foi como aconteceu comigo, uma vez um colega de escola apareceu com uma revista pornográfica escondida na mochila. Eu tinha onze ou doze anos, e a revista era composta de histórias em sequência, como uma fotonovela. A primeira se passava numa casa de luxo, com piscina e carros do ano, e a dona da casa acorda só de calcinha e se espreguiça enquanto o marido está viajando a negócios. A pornografia sempre descobre estas coisas, é a função dela, você folheia a revista e fica esperando uma reação, a libido que apitará numa daquelas páginas, às vezes no canto de uma foto, num balão de diálogo escrito à máquina ou em caligrafia desleixada, e dependendo do que houver nessa foto ou nesse balão o seu destino será traçado: ao ver aquela mulher de calcinha eu comecei a me candidatar a um futuro de filhos e grama verde no jardim, enquanto o futuro de Walter foi anunciado em outra página de outra revista, desta vez sem casas de luxo nem casamentos em crise. Na revista de Walter há um porão onde dois bombeiros cobertos de vaselina mostram os músculos um para o outro, entre mangueiras e capacetes, e meu amigo tem onze ou doze anos ao olhar para aquela sequência de fotos, e olhar de novo, e é então que se desenha uma cena que seria um desdobramento natural décadas depois — meu amigo voltando a Bariri, a mãe o recebendo, bolo de banana e o grão que foi colhido, torrado e moído na própria fazenda. Pois é, mãe. Tenho duas notícias. A primeira é que o problema de tomar esse café é que dá vontade de beber, e aí tenho vontade de cheirar, e por causa disso eu tenho uma segunda e uma terceira notícias fresquinhas sobre os lugares que frequento em São Paulo e meu atual estado de saúde.

A mãe de Walter tem uma pasta com reportagens que saíram sobre o filho. Na publicidade ainda existem essas publicações. O entrevistador pergunta, quando você decidiu ser um criativo? O que é ser um criativo no Brasil de hoje? Que conselhos você daria a um estudante que deseja ser um criativo como você? A mãe de Walter distribui cópias dos textos para as amigas, quase todas colegas de um grupo beneficente. Em Bariri as senhoras se reúnem com suas queixas, sua viuvez e seus familiares que não telefonam há meses, mas a mãe de Walter tem setenta anos e um marido vivo e nunca sofreu de uma doença grave. Ela não tem câncer, não tem Parkinson ou Alzheimer, nem problemas de pressão, coluna, gota, diabetes, e talvez por isso Walter tenha hesitado em fazer a viagem ao saber daquela terceira notícia fresquinha. Valia a pena passar um fim de semana em Bariri e na segunda-feira deixar a mãe, a trezentos quilômetros da capital, com a informação do teste positivo para digerir? Valia a pena fazer a mãe folhear o álbum naquela segunda-feira, o filho tão corado nas fotos, tão jovem, sorridente e cheio de perspectivas, e então o pai de Walter entra no quarto e a mãe olha para ele e a velhice dos dois nunca mais será a mesma?

Eu sei que o tribunal preferia outra postura, a imagem de Walter vestindo uma camiseta branca no 1º de dezembro, dia mundial de combate à a-i-de-esse. Nessa camiseta haveria a estampa de um preservativo e de um coração, uma fita vermelha no dedo anular esquerdo, como uma aliança que marca o casamento com a responsabilidade, o publicitário bem-sucedido que aderiu às campanhas de conscientização sobre uma doença que já não tem a carga estereotipada de outros tempos. A tuberculose era conhecida como mal do século, o sintoma dos excessos dos poetas românticos na era vitoriana. Por muito tempo o câncer foi o contrário, o nome que não era dito, o resultado dos sentimentos sufocados por pessoas desprovidas de caráter e vontade. Já o que surgiu em 1981 foi visto como mistura das duas coisas, o resultado dos abusos de quem não tem força moral para resistir à natureza e ao mesmo tempo uma condição não dita, uma sigla científica e neutra que esconde um conceito que se espalhará apenas à boca miúda. Os primeiros apelidos da doença eram variações dos termos *peste* e *praga*. A reportagem de Hélio Costa descarta, mas não deixa de citar a expressão *câncer do homossexual*. Não seria adequado Walter usar uma terminologia menos preconceituosa? Uma entrevista falando do tema de forma franca. O apoio da família. Telefonemas para os amigos, um por um, e para os antigos parceiros, que por sua vez fazem o mesmo, e cria-se uma rede de informação e solidariedade em torno de um problema grave de saúde pública.

Só que Walter não avisou ninguém. Ou melhor, avisou. Silêncio no tribunal, a sessão vai começar. Solicita-se a presença do outro réu. Ele também será submetido ao tratamento da casa. Bastam algumas piadas sobre merda. Basta meia dúzia de mensagens sobre cu. Basta uma dúzia de termos ofensivos registrados no presente eterno das caixas virtuais, e algo escrito há anos e em outro contexto equivale a uma ofensa cara a cara dita hoje. Basta um casamento de quatro anos que chegou ao fim há três meses, uma casa vazia e a melancolia de Teca num domingo de 2016, a vida que recomeça devagar, a solidão que dá uma ferroada quando menos se espera, e minha ex-mulher mexe em armários e gavetas até que acha uma pasta que deixei lá não sei por que razão. Na pasta há contas, recibos e um xerox de alguma coisa que não posso imaginar o que seja. Há também um pedaço de papel com o número de um antigo cartão de crédito, o telefone de um antigo gerente de banco, o endereço de uma oficina onde deixei meu carro certa vez, e outros dados incluindo uma lista de senhas que uso há anos e que anotei numa época em que as pessoas ainda faziam isso, e entre as senhas está a da conta de e-mail que tenho até hoje, onde por sua vez está toda a minha correspondência com Walter, e está fazendo quatro dias do domingo em que Teca resolveu entrar nessa conta e encontrou ali, em Arial corpo 11, zoom de 135%, tela de 18 polegadas, o réu José Victor como cúmplice deste crime.

Remetente: Walter. Destinatário: eu. Data: 5/4/2009. Trecho da mensagem: Ontem levei meu irmão burro para passear.

Remetente: Walter. Destinatário: eu. Data: 9/6/2009. Trecho da mensagem: Ontem eu levei meu irmão burro para passear, ele estava com vontade de engolir e desengolir as coisas.

Remetente: Walter. Destinatário: eu. Data: 10/7/2009. Trecho da mensagem: Apresentei meu tubo de engolir e desengolir a um lugar que ele apreciou muito: a sauna Moustache's.

10.

Eu sempre soube que tinha talento para a publicidade. Embora não pareça, consigo me expressar de forma sintética. Também de forma paternal e messiânica fingindo que faço o contrário. Minha vida é escrever textos como o daquele vídeo em que Pedro Bial traduz conselhos sobre o futuro do ponto de vista de alguém mais velho, enquanto as imagens mostram meninos tomando banho de chafariz e velhinhos olhando para o crepúsculo. Preocupe-se menos com os problemas, diz Pedro Bial no vídeo. Não perca tempo com inveja. Às vezes se está por cima, às vezes por baixo. Cante. Dance e sorria. Não seja leviano com o coração dos outros. Cuide dos seus joelhos, você vai precisar deles. E, o mais importante de tudo, use filtro solar. *Use filtro solar*: Pedro Bial foi amigo de Cazuza, e não sei se ele lembrou disso quando foi contratado ou teve a ideia de narrar o vídeo, que frases Cazuza tiraria e quais acrescentaria ao texto a ser lido, os dois ex-alunos do Colégio Santo Inácio olhando para si mesmos vinte anos mais jovens, Rio de Janeiro, 1983, um chope no Baixo Gávea enquanto a TV do boteco exibe em volume inaudível a reportagem de Hélio Costa, e que conselho você dá para a encarnação jovem do seu amigo sabendo o caminho que alguém como ele tem pela frente?

Cazuza descobriu que tinha o vírus em 1987, durante uma internação por causa de uma pneumonia, e no ano seguinte lançou *Ideologia*, considerado pela crítica o seu melhor disco. Já Hervé Guibert fez o teste em 1988, por causa de um papiloma na língua, e pouco depois começou a escrever *Para o amigo que não me salvou a vida*, o melhor relato já publicado sobre o tema. Nesse sentido, fico pensando em como foi para Walter ao saber da notícia: se dá para dizer que ele se tornou mais sábio, se ganhou a súbita experiência dos que se veem numa situação extrema, se pensou em aproveitar melhor o tempo e deixar algo de útil e belo para a humanidade, porque não era essa a forma como ele sempre tratou do assunto comigo.

Remetente: Walter. Destinatário: eu. Data: 10/7/2009. Trecho da mensagem: A sauna Moustache's fica no centro. Modelo de negócio: sodomia de eucalipto.

Remetente: Walter. Destinatário: eu. Data: 10/7/2009. Trecho da mensagem: Eles têm piscina e pista de dança. Um restaurante bem ok também. Itens do cardápio: câncer sodomita, peste anal.

Remetente: Walter. Destinatário: eu. Data: 10/7/2009. Trecho da mensagem: Logo na entrada, penduraram fotos dos patronos: Freddie Mercury, Lauro Corona. A trilha sonora também é boa: "Ideologia". Nenhum dos amigos que fiz por lá parecia disposto a me salvar a vida.

Cazuza morreu em 1990. Hervé Guibert morreu em 1991. Walter resolveu lidar com o tema de outro modo, na linguagem que caracteriza as mensagens vazadas. Os textos não falam em *vírus*, não falam em *problema grave de saúde pública que não tem a carga estereotipada de outros tempos*, e as atualizações de vocabulário são evitadas em nome de um tom muito particular ao descrever esse universo, a menção a dezenas de pessoas que dele fizeram parte desde 1981. Há referências não apenas a Freddie Mercury, Lauro Corona, Caio Fernando Abreu, Cazuza e Hervé Guibert, mas também a Sandra Bréa, Cláudia Magno e tantos outros nomes e biografias que eram um espelho do futuro do meu amigo, muito antes de ele saber que estava infectado, então o primeiro conselho que eu daria ao Walter mais jovem não é bem sobre a forma como ele se expressava e a forma como se comportou durante os anos anteriores à notícia de sua doença — e sim sobre outro tipo de cuidado. Use filtro solar, e peça ao seu interlocutor para apagar a correspondência de vocês. Use filtro solar, e considere a hipótese de que seu interlocutor não fará isso. Use filtro solar, e saiba que seu interlocutor é a última pessoa de sua geração que anota uma senha de e-mail num pedaço de papel.

11.

Conheci Walter na faculdade. Eu o apresentei a muita gente e o ajudei na adaptação a São Paulo. Eu o indiquei para o primeiro estágio, nos formamos na mesma turma, e em menos de dez anos ele era diretor de criação numa agência que está entre as cinco maiores do país. Meu amigo também estudou cinema e se adaptou aos vídeos que se alastram pela internet fingindo que não são propaganda, e sim uma forma híbrida e contemporânea de jornalismo, mecenato e ação social. Nessa trajetória houve prêmios, festivais, viagens, um apartamento numa rua arborizada do Jardim América, um sem-número de e-mails na conta que foi acessada por minha ex-mulher num domingo de 2016.

Quem me apresentou Teca foi Walter. O ano era 2010. Eu havia acabado de sair do namoro com Simone e ele disse, você precisa conhecer esta minha amiga. Acho que você vai se animar um pouco. Ela vai dar um jantar sexta-feira. Ela é bonita e inteligente. Ela é arquiteta e acho que faz seu tipo. Hoje há aplicativos que fazem isso para o cliente, você analisa as candidatas e faz a escolha considerando quem tem os mesmos interesses e opiniões, e além disso sabe escrever sem cometer erros gramaticais ou lógicos, e posta fotos de frente e de perfil, e usando um vestido de chita e uma sandália que mostra a cor do esmalte preferido, então é possível pular etapas que antigamente nos fariam arruinar um jantar no primeiro minuto ao desdenhar de algum assunto ao qual a outra pessoa dedicou metade da sua vida. Mas em 2010 era diferente, ao menos para mim: eu cheguei a esse jantar arranjado por Walter, ali estava Teca à minha frente, uma incógnita de gostos, sensibilidade, honestidade e nível de informação, um universo inteiro a descobrir além da conversa superficial com o meu amigo — na qual fiquei sabendo que ela terminara o mestrado em urbanismo na França, e havia passado mais um tempo fora do Brasil, e na volta assumiu o lugar guardado desde sempre no escritório do sr. Teco pai e da sra. Teca mãe, e o que mais se pode dizer de uma pessoa que parece tão vivida e cultivada?

A melhor forma de se convencer de que uma separação foi acertada é botar uma lupa apenas em coisas ruins ou aborrecidas desde o dia em que um casal se conhece. Teca falou da estante de livros, conversamos sobre a estrutura, a parede nua de fundo, a pintura e o espaço para que o peso dos volumes não vergue as prateleiras. Eu perguntei sobre aqueles títulos todos e falei, parece estranho, mas publicitários sabem ler. Alguns até sem mexer os lábios. E ela riu, e bebemos bastante vinho, e é tudo um lugar-comum até certo ponto — nós dois no sofá, uma perna que encosta na outra, os convidados que reparam e aos poucos vão embora, ninguém oferecendo carona para mim ou estendendo a despedida. Há taças e pratos na cozinha. A sala está a meia-luz. Teca tem uma vitrola dessas que voltaram à moda e tocam MPB vagamente irônica em volume baixo. A noite está agradável, eu sinto o cheiro do cabelo dela, e passo a mão na perna dela e tiro o sapato, e ela bota a mão sob a minha camisa e chega ao zíper do meu jeans, e eu subo em cima dela e abaixo o tronco até que meu rosto fique prensado entre as coxas dela, e eu fico por algum tempo ali até que ela me puxa e me vira de barriga para cima e agora ela está montada em cima de mim, o rosto com uma expressão que não teve até aqui, e eu sinto o calor localizado que sinaliza a última chance de parar mas ela diz, só um pouquinho, vai, a gente precisa experimentar para ver se funciona, e a voz dela já não é a de quem está prestando atenção no que diz, e o calor localizado passa a ser sinal de outra coisa — uma ligação na semana seguinte, um cinema, uma caminhada de mãos dadas pela primeira vez, aquilo que a maioria das pessoas busca pela vida inteira.

Talvez não se devesse dizer a palavra amor à toa, mas é o que resume um momento assim: eu olho para Teca e ela entende na hora, eu entrando e saindo dela e os dois já a caminho de dizer a palavra sem se constranger, é tão físico e tão pouco físico, há tão pouco mistério e ao mesmo tempo é tão difícil de explicar, e por causa desse estalo tudo subitamente se ilumina, e passo a achar interessante o que ela diz e as coisas de que ela gosta, e a minha libido agora está sintonizada com as demonstrações de maturidade e consciência social da minha então futura ex-mulher, o arrebatamento por alguém que gosta daqueles filmes antigos e delicados, daqueles livros e jantares, das ponderações sobre a sabedoria do design simples e o papel do urbanismo na integração das comunidades com o espaço público nessa espécie de pornografia da virtude, como se na revista que folheei aos onze ou doze anos as páginas mostrassem não a dona de casa cujo marido viajou a negócios, mas personagens que andam de bicicleta e vão a protestos em frente ao MASP, com balões de diálogo expondo declarações sobre carbono free e sororidade, e a cada noite que sinto a textura do corpo de Teca eu interpreto meu entusiasmo como um sinal, a premonição de uma verdade sexual, afetiva e existencial que logo viraria um casamento promissor, em vez da ilusão que caduca no dia em que deixo de ter atração por ela ou ela deixa de ter atração por mim.

12.

Há muitas formas de falar sobre amor, entendimento, atração e verdade. Durante o casamento eu ia com minha esposa ao teatro ou a uma exposição. Teca gostava de caminhar, de comprar velharias, de conferir restaurantes que tinham recebido estrelas no jornal, e acordava cedo e tinha um cachorro e media um metro e sessenta e quatro. Éramos um casal como qualquer outro da nossa faixa cultural e social, que uma ou duas vezes por dia, por semana ou por mês pratica o que dá para descrever em linguagem técnica se preciso, se for mais digerível para a plateia do tribunal: o contato entre pênis e vagina, ou vagina e cavidade bucal, ou cavidade bucal e de novo pênis, enquanto tanta gente se dedica preferencialmente a outro tipo de contato, utilizando uma membrana que tem outra anatomia e consistência, e conta com a presença de micro-organismos diversos e é irrigada por vasos sanguíneos de diferente calibre, e em 1981 as pessoas começaram a emagrecer como moscas por causa dessa diferença anatômica, a fatalidade biológica que fez do contato pau × cu entre homem × homem uma maldição.

Depois que o casamento acabou, falei poucas vezes com Teca. Uma lista disso também? Quantos encontros com Carolina depois que terminamos: nenhum. Ana Paula: um trabalho em que fazíamos parte da mesma equipe, entre dez e vinte reuniões nas quais muitas coisas foram discutidas, chegou-se a muitas conclusões, olhou-se muito para o celular de forma discreta e não foi mencionado o fato de que eu a traí com a melhor amiga. Simone: duas conversas, a primeira gentil, adulta, no coquetel de inauguração de alguma coisa que não lembro o que era, e a última com ela bêbada dizendo que sentia vontade de vomitar toda vez que olhava para a minha cara.

Passei dois anos namorando e quatro casado com Teca. O domingo de 2016 em que ela leu as mensagens foi há quatro dias. Para Teca, foi um domingo que iniciou como todos nos três meses desde o fim do casamento. Ela perambulou pela sala, pelos quartos, pelo entulho amontoado perto da edícula, pelo território do cachorro. Do que se sabe até agora, o único registro que Walter fez sobre o tema aqui em debate foi comigo. A única pessoa que falou com Walter sobre o tema aqui em debate fui eu. Ainda há gente indo para o trabalho depois que Teca leu as mensagens, gente que cuida dos filhos, joga na loteria, toma banho quente porque a temperatura caiu um pouco nesta cidade tão cheia de trânsito, poluição e crime, gente que espera o sinal abrir, que fuma, que toma sorvete de casquinha olhando para o vazio num banco de praça, o mundo que só tem a obrigação de se indignar por algumas horas diante de algum escândalo que logo dará lugar a um novo, enquanto para mim o tratamento é outro: na esteira do telefonema que Teca me deu depois de descobrir a senha, como parte da tempestade que se abateu sobre os envolvidos, minhas considerações sobre a sigla, a peste, o câncer, a praga e a maldição foram parar na internet.

39

UMA PIADA

13.

Do José Victor de 2016 para a Teca de 2010, no dia em que fui apresentado a ela:

— Use filtro solar.

— Pode-se escapar de uma época, mas não de todas as épocas. A vida sempre acaba pegando você.

— No que isso se aplica ao nosso caso específico, talvez tudo remeta a uma antiga discussão envolvendo a comunidade gay masculina e a comunidade gay feminina. A comunidade gay masculina se recusava a diminuir a liberdade sexual em função do que surgiu em 1981, mesmo que isso ligasse sua imagem à promiscuidade e ao pecado. Em 1986, o estado da Califórnia votou uma lei de quarentena para doentes. O pastor Jerry Falwell passou os anos 1980 falando do pecado que esses doentes haviam cometido, já que a Bíblia só reconhece os fins reprodutivos do amor ao próximo.

— O amor ao próximo envolvendo mulheres começou a ser mais comumente punido na década de 1990. No Brasil, Cláudia Magno deu entrada no hospital com uma infecção, e os jornais descobriram que um ex-namorado dela havia tido um problema semelhante. Já Sandra Bréa anunciou que tinha um problema semelhante porque entrou em contato com o sangue de um acidentado, mas a imprensa investigou, ouviu especialistas, fez conjecturas, comparou, ponderou, tirou fotos, desenhou infográficos e concluiu ser pouco provável que a versão fosse verdadeira.

— Em San Francisco, a comunidade gay feminina foi influenciada pelas ideias do feminismo. Entre quatro paredes, diziam as feministas, não se podem reproduzir os estereótipos políticos de poder entre gêneros, a conduta histórica e socialmente condicionada que transforma indivíduos em objeto sexual de quem os domina, carne de açougue, saco de pancadas, e isso ia contra o que parecia ser a praxe no gueto masculino durante os anos 1970. As mulheres diziam que talvez fosse hora de os homens reverem esse comportamento. Que a identidade deles não era passar o dia escolhendo os cortes de carne numa sauna. Os homens diziam que haviam brigado a vida toda para poder se comportar exatamente assim.

— Para alguns defensores do último ponto de vista, homens se comportam exatamente assim porque são homens, e não porque são gays. A diferença é que no outro polo da relação não há uma mulher, e sim alguém com os mesmos instintos de dominação e objetificação carnal que mantêm o funcionamento do açougue. Daqui a seis anos, Teca de 2010, você lerá uma série de mensagens que talvez deixem isso mais claro. Nelas há descrições dos clientes da sauna Moustache's: o garçom, o office boy, o dançarino goiano que fuma crack, pedaços que Walter podia chamar pelo nome que quisesse, alcatra, maminha, ripa e miolo de bife que apanha sem trégua desde que nasceu, mas você tem até 2016 para avaliar minha real participação nessa história — para decidir se preciso responder por ela em público mais do que já estou respondendo em privado.

14.

Em 2016, tenho uma namorada que se chama Danielle. O apelido dela é Dani, e é a minha primeira namorada depois de Teca. O departamento de criação de uma agência normalmente trabalha com duplas, um redator e um diretor de arte, e as duplas às vezes têm assistentes, ou usam o trabalho do redator 2, ou do redator 3, e abaixo de todos há o que no passado se chamava de escravo, depois estagiário, mas hoje fica melhor definir como redator-júnior porque as leis trabalhistas e a governança de quem está se preparando para ser comprado por um grupo internacional de comunicação assim exigem — um animal de carga a quem se atribuem pequenos textos para folhetos, pequenas ideias para calhaus de veículos irrelevantes, mão de obra a ser explorada em todo tipo de abuso nos ramos de pesquisa e produção em troca da promessa de um dia virar alguém tão bem-sucedido quanto eu.

Dani começou como redatora-júnior há pouco mais de dez meses. Ela está no sexto semestre de faculdade. Ela tem vinte anos, e lá vamos nós dar alimento às hienas. O quarentão que se interessa pela funcionária. O senhor de escravos destoante dos princípios éticos de governança internacional. A crise de meia-idade que passeia todos os dias diante dos duzentos e trinta funcionários da agência, entre os enfeites irônicos das baias e aquários, em frente à janela de um décimo quarto andar que dá para a glória da avenida Berrini, repetindo o discurso de que somos mesmo prostitutas, mendigos corporativos, o humor falsamente autodepreciativo que finge ser aquilo que é. A primeira vez que conversei com Dani foi em frente à máquina de água. Eu ainda era casado. Eu perguntei o que ela estava achando do trabalho, se estava feliz em ser explorada por sinhozinhos e psicopatas. Cada geração tem seus próprios pudores: o meu era dizer, ainda é tempo de salvar sua alma. Ainda é tempo de mudar de curso e apagar do seu currículo que você um dia pensou em trabalhar com propaganda.

Aos quarenta e três anos começa a dar vergonha de repetir esse tipo de piada, receber de volta o tipo de sorriso esperado e fazer o que se espera de um diretor que sai a primeira vez com a redatora-júnior. Não é que eu me orgulhe de ter feito isso, Teca, mas levei Dani a um bar que tem um balcão colorido. Eu sei que trair a esposa não é o que se espera de um marido, Teca, mas sentei com Dani em frente àquele balcão. Eu pedi um drinque atrás do outro, fui até o banheiro e enchi o nariz de pó para passar a noite me sentindo à vontade comigo mesmo, e dirigi na volta e contei para Dani que minha então esposa estava viajando, e a convidei para continuarmos a conversa num motel, e pedi serviço de quarto, e usei a banheira, e me sequei com as toalhas oferecidas pela gerência, e peguei o carro de novo na manhã seguinte e dirigi de ressaca e um tanto preocupado em direção à casa onde você dormiu, comeu, riu, chorou e acabou sendo abandonada depois de quatro anos de casamento.

15.

Quando Teca leu as mensagens que troquei com Walter, duvido que tenha pensado em todas as implicações da diferença entre a minha idade e a de Dani. Duvido que ela tenha lembrado que Dani, nascida em 1996, portanto mais de uma década depois da reportagem de Hélio Costa, veio ao mundo no ano em que as perspectivas de tratamento da então doença cem por cento fatal mudaram. Quando Dani berrou na sala de parto, já havia o coquetel com inibidores de protease, enzima necessária para a reprodução do vírus então cem por cento fatal. Quando Dani chegou à idade em que tecnicamente já podia ser mãe, tendo a perspectiva de alguma consequência do contato pênis × vagina além da paixão e do conto de fadas, já havia portadores do ex--vírus cem por cento fatal com muitos anos de dieta à base do coquetel. Talvez por isso a primeira vez que deitei numa cama de motel com Dani tenha sido diferente da primeira vez que deitei no sofá da casa de Teca. Cada geração tem as suas prioridades. Ninguém na idade de Dani sabe onde fica o hospital Emílio Ribas. Nem viu ao vivo uma mancha roxa. Nem foi a um velório com o caixão fechado porque dentro há uma caveira cheia de manchas. Para alguém da idade dela, um velório é sempre associado a um tio que infartou ou avô que morreu dormindo ou acidente acontecido com o familiar de um colega de trabalho cujo nome era estranho para você até então.

Ao ler as mensagens no último domingo, duvido que Teca não tenha imaginado aquilo que vi em Dani. A vitalidade é um milagre feito de cabelo, pele, músculos e ossos, o corpo que funciona como uma máquina em seu auge. No motel aonde fomos depois do bar do balcão colorido, pela primeira vez diante do corpo de Dani, o milagre foi o da visão e do tato concordando sobre o que nos atrai numa pessoa: as nádegas firmes e a coluna vertebral ereta, os peitos que apontam para cima e os traços arredondados que lembram os de um bebê que precisa da atenção de alguém mais velho, aprender o que essa pessoa mais velha tem a ensinar, o avô e a netinha, a fera e a chapeuzinho vermelho que nasceu para corromper e ser corrompida. Teca certamente imaginou essa corrupção: Dani acordando depois de dormir abraçada comigo no motel. Dani se espreguiçando. Dani se vestindo, comendo as torradas com geleia entregues pelo serviço de quarto. É mais fácil digerir torradas com geleia aos vinte anos que aos quarenta e três. Também é mais fácil: enfrentar uma ressaca, sentir-se melhor depois de um banho de banheira, sair sem culpa do carro do amante casado que oferece uma carona de volta e é diretor na mesma agência onde você é redatora-júnior. O casamento desse amante terminará porque ele deixou de sentir desejo pela mulher com quem viveu por quatro anos, e esse fim seria menos respeitável do que um fim por incompatibilidade de gênios, diferenças políticas, emprego em cidades distantes, depressão e síndrome do pânico, alcoolismo e violência doméstica, vontade ou não de povoar o açougue com filhos que terão mais filhos que terão mais filhos?

Seria pior dizer que comecei a me apaixonar por Dani numa daquelas primeiras semanas, quando abri os olhos e me espreguicei no mesmo motel da primeira noite, e Dani já estava acordada e virou de costas e eu senti a textura duas décadas mais firme do que a minha? Há momentos em que entramos em comunhão com a beleza indiferente do universo, e além do sol e da lua há as marés, as plantas e o reino mineral, meu corpo feito de células e nervos cuja atividade independe de história, cultura e vontade, e seria vulgar eu me limitar a uma explicação tão pouco transcendente? Há momentos em que o sangue se limita a irrigar os vasos do aparelho reprodutor masculino. E o aparelho reprodutor masculino se limita a cumprir sua missão mais uma vez. A missão que Dani determinou para mim pode ser executada com diferentes métodos, e cada um deles foi catalogado e valorado por pessoas como Teca e o pastor Jerry Falwell, mas seria pior eu descrever esses métodos do que dizer que entrei em outro tipo de sintonia com Dani? E que tal sintonia é que garante a Dani, apesar do pouco tempo em que estamos juntos, um lugar tão importante na minha biografia até aqui?

16.

A primeira vez que me apaixonei foi aos sete anos. Sei a idade porque ela era a professora que me ensinou a ler. Essa professora seguiu sua vida, mas para mim morreu em algum ponto das semanas ou meses em que a obsessão terminou: aos sete anos eu fiz planos para casar de fraque e trazer aquela senhora para morar na casa da minha família. Nós tomaríamos picolé juntos, ela me ajudaria com a lição da escola, a minha mãe daria seu consentimento e eu nunca ficaria velho.

Carolina morreu de comum acordo em algum dia de 1991, quando os dois se cansaram de passar horas em silêncio porque não tinham nenhum assunto ou plano coincidente.

Ana Paula morreu muito depois de eu traí-la com a melhor amiga. Quando ela me dispensou, fiz questão de passar meses me punindo por tudo ter terminado dessa maneira. Eu não fiz escândalo em frente à casa dela, não a segui, não ataquei o namorado que ela arrumou logo, mas de certa forma meu comportamento foi pior que isso. Todas as noites eu fazia o mesmo circuito de bares da Consolação e Centro, procurava os mesmos frentistas que vendem pó misturado com vidro moído e cândida, as mesmas suítes baratas na companhia de quem você não conhece, o sol alto lá fora, o mofo, a conta paga em dinheiro vivo.

Simone morreu ali pela metade do namoro. Foi a primeira vez que aconteceu assim: as perguntas que você começa a se fazer de uma hora para outra, tomando um copo de água na cozinha, a simulação da ausência dela como um teste, o que eu faria se ela conhecesse outra pessoa ou fosse chamada para trabalhar em outra cidade, se um ônibus a atropelasse na frente de testemunhas cujo relato eu teria de ouvir e em função do qual teria de expressar o quanto estava sofrendo — a demonstração externa de que eu ainda tinha algo a perder numa história que começou tanto tempo antes e no início era tão viva.

Com Teca a morte foi apesar da minha vontade, do esforço para fugir de uma tristeza que começou a se desenhar muito sutilmente. Um feriado na agência, sozinho, com nenhuma tarefa em especial para fazer. A hora do alívio de cada manhã, quando eu dava um beijo de tchau e ia trabalhar. A vergonha de elogiar algo que ela tinha cozinhado. A vergonha de dar um presente de aniversário e adiar com pequenas gentilezas a atitude que eu precisava tomar. Dormir todas as noites na mesma cama. Reagir quando Teca se encostava em mim. Teca é uma mulher bonita e ainda será por muito tempo, mas por algum motivo isso deixou de fazer diferença. O corpo dela é atraente e ainda será por muito tempo, mas por algum motivo deixou de ser para mim: uma transformação dia a dia, o tempo que era eterno ao lado desse corpo se transformando num desperdício contínuo, e você agora só pensa em como dizer isso da maneira menos catastrófica, a angústia que eu sentia ao antecipar a conversa final com Teca, ao ver na cara dela o que ela ainda sentia por mim e eu não conseguia mais sentir de volta — o terror que passa quem percebe estar confundindo amor com amizade, medo, pena, gratidão, orgulho, carência, teimosia, insegurança ou preguiça. Então me restava segurá-la pelos quadris, eu embaixo como ela gostava, na velocidade que ela imprimia e esperava que eu acompanhasse, uma urgência calculada pegando carona na única fantasia que poderia me ajudar naquele momento de obrigação e tristeza: um sonho de olhos fechados, a lembrança da redatora-júnior, o sorriso, os ombros, os peitos e a nuca de quem nasceu em 1996, e como é fácil voltar a ser vivo quando você conversa com alguém assim pela primeira vez.

17.

Quem ama protege foi um slogan criado por um publicitário como eu, talvez na mesma situação, quarenta e três anos e a agonia de estar preso a um casamento no qual o desejo se apagou, um cadáver eunuco em negação de si mesmo até que aparece uma nova chance. A conversa com a redatora-júnior em frente à máquina de água: oi, este negócio resolveu funcionar hoje? O que você está achando do trabalho na agência? E então vem a piada constrangida sobre a profissão e o riso no qual eu já podia antecipar os meses seguintes, e a legenda daquele diálogo poderia ser, boa tarde, eu sou um cadáver eunuco pedindo socorro. Espero que você esteja disposta a me ajudar. Que me ressuscite e reverta a minha castração. E goste do risco que isso envolve. Não faz sentido ter a minha idade se eu não puder pendurar o futuro nisso, o que fiz com medo e esperança enquanto aguardava a resposta de Dani.

Quando Teca ficou sabendo do meu novo namoro, imagino que as coisas tenham ganhado um sentido. De repente, nosso casamento não havia mais terminado por uma perda simples de desejo, o corpo desligado de qualquer conexão com o corpo que dormiu por quatro anos ao meu lado, e sim pela escolha consciente de ir atrás da redatora-júnior para provar o que homens da minha idade querem provar. Para Teca, tudo poderia ser evitado. Eu deveria ter aceitado que quarenta e três é uma boa idade para *não* provar mais nada. Para me despedir da virilidade, da vitalidade, da curiosidade, o tempo que falta ao lado de uma pessoa que já não me interessa e a quem não tenho mais vontade de tocar: as noites dormindo com alguém que de madrugada vai se encostar novamente em mim, e desta vez não adiantará lembrar de Dani, então fingirei que estou dormindo, ou que estou cansado, ou que os casamentos são assim e a humanidade está condenada a ter um pouco de atividade sexual monogâmica e depois entrar num buraco de anulação solitária a dois, a fisiologia desprogramada de suas prerrogativas básicas para que nos dediquemos com calma a atividades mais maduras — quem sabe mais fins de semana na praia com o sr. Teco pai e a sra. Teca mãe, mais poesia, brechós, samba de raiz e comida gostosa feita em restaurantezinhos muito simples que usam a receita da moça que trabalhava lá em casa quando éramos crianças sapecas no Alto de Pinheiros, e a correspondência com Walter deixar mais ou menos clara a minha posição quanto a isso tudo colaborou para que Teca formasse a imagem do réu que aqui está.

Até hoje não sei a sequência exata do vazamento dos e-mails. Imagino que Teca tenha copiado as minhas conversas com Walter antes de me procurar, para que eu não tivesse chance de mudar a senha. Depois ela fez uma seleção de trechos, o que sempre dá algum trabalho: ela recortou uma mensagem, depois outra, tudo colado num documento que exige uma reformatação, os parágrafos, itálicos, fonte, tamanho e cor, uma escolha editorial para que a sequência fizesse o sentido desejado. No domingo ou na segunda algumas amigas dela receberam o material. Essas amigas o transmitiram para mais gente. Alguém cadastrou o conjunto numa página anônima. Links e cópias começaram a aparecer nas redes sociais. Sempre há uma combinação de morbidez e azar nesses casos, a coincidência de o post ter sido publicado em determinado horário, ou de alguém com muitos seguidores ter se interessado pelo caso, ou de estarmos num tempo em que não apenas celebridades podem ter a vida íntima exposta para as massas — e eis que me vejo lá, no presente eterno do espaço virtual, para escrutínio e comentários de arquitetos, publicitários, economistas, professores, marceneiros, cobradores de ônibus e juízes interessados.

18.

A imagem que os interessados têm de mim no momento é a que Teca escolheu fazer. É com ela que me apresento diante do tribunal: meu nome é José Victor, tenho um metro e setenta e nove de altura, setenta e oito quilos, cabelo grisalho. Meu prato preferido é caranguejo. Gosto de pizza também. De bebida alcoólica e de cocaína. Sou branco, tenho curso superior e renda na faixa mais alta da população, e pratico o contato pênis × vagina com uma mulher vinte e três anos mais nova. Também o contato pênis × ânus com ela, o contato pênis × cavidade bucal, um privilegiado do pênis que desde muito cedo colheu os devidos e respectivos privilégios.

Entrei para a publicidade porque gostava de cinema e de literatura. Era o início dos anos 1990. Dirigir filmes no Brasil tinha deixado de ser viável com o Plano Collor e o fim da Embrafilme, viver de escrita sempre foi impossível também, e eu não queria fazer jornalismo ou tentar uma dessas carreiras burocráticas de humanas como direito ou letras. A propaganda parecia o veículo ideal para exercer uma vocação criativa abstrata num meio em que se podia ganhar dinheiro concreto. Consegui um estágio aos dezenove. Aos vinte e dois já me sustentava. A minha profissão não chega a ser um desafio quântico: o que um turista faz com os lugares que visita eu faço com desejos e ideias. Eu sei ver um filme e registrar os enquadramentos, o filtro da luz, os diálogos e a maquiagem dos atores, e fazer mais ou menos o mesmo com um disco ou um desfile de moda ou o jeito como as pessoas interagem numa festa, e então juntar os fragmentos num anúncio até que a ideia original ou qualquer espasmo de vida se dilua numa cópia orgulhosa. Eu sei florear esse processo com um discurso idealista ou visionário, como se a linguagem que vende um produto ou comportamento não fosse diferente da linguagem artística ou moral, já que estas também acabam vendendo alguma coisa de um modo ou outro, mas isso não impede que eu saiba no que me transformei. Desde a faculdade eu era capaz de enxergar isso. Quantos alunos no campus inteiro tinham lido mais que cinco livros na vida? De quantos ali eu poderia ser realmente próximo? Meia dúzia de frases da pessoa, e você já sabe o grau de inteligência e informação dela, como esta relação poderá ser — se a pessoa entenderá o que você diz, se conversará de igual para igual, se a conversa escapará da condescendência, do mínimo denominador de estupidez e ignorância, do receio de ferir suscetibilidades, do sarcasmo, do desprezo.

Eu tive poucos amigos depois de adulto. Eu conheço muito pouca gente com senso de humor. Com Walter sempre houve, esta é a palavra — *estímulo*. Nós nos conhecemos no primeiro semestre da faculdade, curso básico, caímos no mesmo grupo de um trabalho de Sociologia I. Era comum matar aula no Centro Acadêmico, uma sala onde havia frigobar, mesa de sinuca e aparelho de som. Um dia estávamos lá tomando cerveja, depois cachaça, então Walter tirou um canudo da carteira e abriu um pacote plástico e perguntou, está a fim? Eu nunca tinha feito aquilo e pensei, por que não? A porta estava trancada. Era uma sexta-feira e estávamos sozinhos. Walter esticou duas linhas no verso de um cinzeiro de acrílico, uma para cada um de nós, e na primeira vez que cheirei eu senti a mucosa arder num travo de giz e aspirina. Demorou outras vezes em outros lugares e com outras pessoas para que o hábito se tornasse algo mais do que isso, o universo em sintonia com as veias prestes a arrebentar num brilho de calor, foco e confiança, mas para Walter a experiência no Centro Acadêmico foi outra: bastou ele terminar a segunda linha para me segurar pelo braço, os olhos bem abertos, e de repente ele tinha ficado muito sério, e então esticou o pescoço e por algo como dois segundos tentou alcançar o rosto que desviei por instinto e surpresa.

19.

No primeiro semestre de faculdade, Walter e eu íamos às mesmas festas. Em algumas ele saiu acompanhado por mulheres, então eu não imaginava o que ocorreria com a gente meses depois. Durante dois segundos no Centro Acadêmico, antes de Walter rir e se afastar delicadamente, e eu rir também enquanto ele dizia, desculpe, você sabe que é um problema tomar café e emendar com cerveja e cachaça aqui sozinho com você, e eu elaborar o que havia ocorrido usando palavras neutras como *instinto* e *surpresa* — antes disso talvez fosse mais exato dizer que senti um pouco de repulsa. Em que medida essa repulsa involuntária ao que meu amigo fez pode se tornar uma repulsa sistemática ao que meu amigo é? Que idade você precisa ter, qual a formação necessária para sufocar o instinto social que confunde ambas? Eu já era adulto quando Walter tentou me beijar, ele já era adulto também, um não representava ameaça física ou emocional ao outro, e foi fácil ele entender que eu não estava interessado e eu entender que ele apenas havia se enganado a meu respeito. Da superação do mal-entendido nasceram vinte e cinco anos de amizade, mas para quantas pessoas o que aconteceu comigo no Centro Acadêmico se torna o que aconteceu com os amigos de Walter que bateram no travesti?

Para julgar esses amigos de Walter, há uma explicação sempre disponível: trata-se de gente criada num lar de costumes rígidos, que passou a infância ouvindo as ameaças do padre e da professorinha e tem algo a esconder na própria sexualidade. É tão fácil enxergar os defeitos dessa caricatura, o sujeito reprimido que dedica a vida a estragar o prazer dos outros por inveja ou medo. É tão fácil condenar quem viveu no século XIX ou na Bariri dos anos 1980: sempre teremos razão porque essas pessoas matavam ciganos, ou não deixavam empregados usarem o mesmo banheiro, ou discriminavam quem tinha lepra, mas o caso aqui é um pouco diferente.

Minha família é toda de São Paulo, e nunca conheci alguém que tivesse lepra. Meu pai é economista, minha mãe é psicóloga e se divide entre o consultório e o trabalho numa ONG que presta auxílio a pessoas carentes com transtorno de estresse pós-traumático. Somos da chamada classe média esclarecida, e fui educado para ser quase uma caricatura no outro extremo, o da tolerância que tem receio de dizer qualquer coisa que pareça agressiva ou discriminatória. Estudei numa escola parecida com a escola onde Teca estudou. Nesse tipo de escola, a pedagogia é uma construção que visa ao desenvolvimento intelectual e moral do indivíduo. O indivíduo é uma construção que se espelha em valores coletivos e socialmente responsáveis. Eu aprendi que cada indivíduo tem suas características, sonhos e limites, e também tive aulas de educação artística, fiz campanhas de arrecadação de agasalhos, li sobre eutanásia e aborto, plantei mudas de fícus. Nesse ambiente, claro que ninguém bateria em mim se meu gosto sexual fosse o mesmo que o de Walter. Claro que eu não bateria em alguém com esse gosto. Mas isso não me permite julgar as consequências da surra no travesti nos anos 1980 — não as consequências na vida dos amigos de Walter, o modo como cada um deles passou as décadas seguintes, com quem eles casaram, como estão educando seus filhos e lidando com os próprios instintos num dia de tédio em que os pensamentos vagam no tempo de modo incontrolável, e sim as consequências na vida do meu amigo.

20.

Walter passou meses remoendo o episódio da surra. Anos depois ele ficou sabendo que o travesti estava internado no hospital e resolveu visitá-lo. O travesti sorriu quando Walter entrou no quarto. O estado dele já não tinha volta: o maxilar saliente, os olhos encovados. Havia feridas nos braços e no peito. O quarto era dividido, atrás da cortina o outro paciente não parava de tossir e chorar. O travesti ainda lembrava de Walter, o único que não tinha batido nele tanto tempo antes, o único dos meninos que ele olhou nos olhos enquanto apanhava. Eu sabia que você era como eu, o travesti disse. Essas coisas a gente sabe de cara, eu soube quando você entrou na minha casa aquela vez. Mas se você quer um conselho, meu bem, evite ocupar o posto de bicha oficial de Bariri quando ele ficar vago. Isso vai acontecer rapidinho, você sabe. Ué, por que essa cara de espanto? Não falaram para você sobre o meu prognóstico?

Naquela época, Walter nunca tinha visto um morto. Demorou um tempo para ele ver, o que se tornou comum no início dos anos 1990, a fila dos que terminaram com a cor de chumbo que o travesti ostentava quando recebeu Walter. Vá embora desta cidade o quanto antes, o travesti falou. Este não é um lugar para nós. O mundo é tão maior que isso aqui. E você tem tão pouco tempo, meu bem, por mais que tente negar. Nós nascemos condenados a isso. Não pense que você vai escapar. Não pense que o seu futuro também não é uma cama de hospital, o travesti disse para Walter, então deixa eu oferecer o cardápio para quando esse dia chegar. Temos doenças oportunistas passadas por gatos e doenças oportunistas transmitidas por pombos. Falência das córneas ou falência do cérebro. Um tumor que desfigura o rosto ou um tumor interno que causa uma dor horrível. Enterros com as honras de filho de fazendeiro ou numa vala comum como indigente. O que o senhor freguês vai querer? Ah, vai. É só uma piadinha, coração. Todo mundo tem direito de fazer uma às vezes. A vida é tão curta para ser levada a sério. Dá um sorriso, pelo menos. Isto. Assim que eu gosto. Em pouco tempo eu não vou mais estar neste mundo, já devem ter contado para você. Então, deixa eu levar esta lembrança comigo. Um rapaz tão bonito sorrindo. Será a última lembrança que terei. Você é a única visita que eu tive. Prometo lembrar disso na minha cova de indigente, onde vou sorrir também antes de subir ao céu e todos serão felizes para sempre.

21.

A *vida é tão curta para ser levada a sério*: acho que o travesti seria um bom autor de autoajuda. Ou um bom publicitário. Se esta fosse uma história de autoajuda publicitária, daria para dizer que aquela visita ao hospital mudou a vida de Walter. E que algo daquela conversa ficou como uma espécie de lição. Não apenas pelo conteúdo do que foi falado, mas também pela forma: quando Walter me contou que saía não apenas com mulheres, eu já estava acostumado ao tom usado pelo travesti, que havia se impregnado no tom de Walter, tornando-se um pouco do que Walter era. Não se trata da fala afetada de quem desmunheca num programa de auditório usando expressões como *diva, bicha pão com ovo* ou o equivalente da época, o discurso que extrai uma graça exótica de um personagem que chora ouvindo Maria Callas ou clichê do gênero. Havia mais violência na forma como Walter se expressava, ou uma modalidade menos eufemística e simpática de tristeza, porque os anos seguintes de fato cumpriram as previsões do travesti, uma sequência de condenados sobre macas, enfermarias, corredores vazios de hospital às quatro da madrugada, então não dá para exigir que meu amigo faça piadas de papagaio ou de português ou do Joãozinho que pede para a Maria levantar a saia na aula de matemática.

Remetente: Walter. Destinatário: eu. Data: 4/8/2009. Trecho da mensagem: Hoje fui ao banheiro do shopping. Meu tubo desengoliu um tolete premiado.

Remetente: Walter. Destinatário: eu. Data: 4/8/2009. Trecho da mensagem: Nada como uma boa dieta: consistência fibrosa, comi linhaça hoje de manhã.

Remetente: Walter. Destinatário: eu. Data: 4/8/2009. Trecho da mensagem: Além da linhaça, ajudou na consistência que o tolete tenha sido amassado e modelado na sauna. Usei pilões de carne e testículos da brand Moustache's, um oferecimento da equipe garçom, enfermeiro e dançarino goiano que fuma crack.

Há grupos de WhatsApp que fazem piadas de futebol, piadas de firma, comentários sobre fotos de atrizes nuas, e também falam de política e de previsão do tempo, e combinam de tomar um chope e dão parabéns quando um dos integrantes está de aniversário, e a diferença desse tipo de conversa para qualquer conversa não virtual é que tudo pode ficar registrado e no caso de um vazamento ser lido por qualquer pessoa a qualquer tempo. Minhas primeiras conversas com Walter não foram por escrito. Há toda uma história de evolução do humor que se tornou o nosso código preferencial fora e dentro das mensagens: a primeira vez que ele usou o tom do travesti, a primeira vez que eu ri disso, a primeira vez que incorporei esse tom numa frase de minha própria autoria, o dia em que o tom do travesti passou a acompanhar referências à doença que marcou a vida de Walter e de qualquer pessoa da minha geração, e o fato de as piadas passarem a se referir não apenas a episódios externos e sem importância, mas a episódios da intimidade minha e do meu amigo, não muda nada. O fato de essa evolução ter sido acompanhada apenas por mim e por Walter, sendo impossível a qualquer um de fora entender o contexto em que aquelas expressões foram usadas, também não muda. Porque, no fundo, são conversas como quaisquer outras: eu faço confidências a Walter como pessoas fazem a pessoas de que gostam. Eu narro minhas angústias, desejos, planos e alegrias. Foi isso que fez a minha vida ser tão melhor nos últimos vinte e cinco anos, a sorte de ter um amigo tão inteligente e divertido, que me tornou menos aborrecido do que eu era, menos ingênuo, estúpido, medroso e conformado.

Remetente: eu. Destinatário: Walter. Data: 22/11/2014. Trecho: Alguma chance de sair hoje e encontrar Cláudia Magno e Sandra Bréa?

Remetente: eu. Destinatário: Walter. Data: 23/11/2014. Trecho: Alguma chance de homenagear a memória de Cláudia Magno e Sandra Bréa mesmo sendo um cadáver eunuco?

Remetente: eu. Destinatário: Walter. Data: 25/11/2014. Trecho: Alguma chance de, mesmo usando o anel do cadáver eunuco no dedo anular esquerdo, ainda conseguir amar ao modo Cláudia Magno e Sandra Bréa de contaminação?

22.

Quando Walter disse pela primeira vez que queria *ser contaminado*, ou que queria *contaminar alguém*, eu não estranhei. É como falar que você morreu de tanto beber, ou que foi fuzilado ao ouvir algo muito absurdo, ou que vai dar um tiro numa pessoa que está defendendo alguma tolice. Walter usava a expressão para se referir a qualquer assunto, não apenas à sauna Moustache's, e eu também usava expressões desse tipo nos e-mails e nas mais variadas conversas, e me sinto um idiota tendo de dar esse tipo de explicação óbvia ao tribunal.

Em 1988, uma briga do pastor Jerry Falwell chegou à Suprema Corte americana. O motivo foi um falso anúncio publicitário, publicado na revista do pornógrafo Larry Flynt, dizendo que o pastor tinha perdido a virgindade com a própria mãe. Larry Flynt argumentou que a piada era tão grotesca que ninguém poderia levá-la ao pé da letra, e é assim que me sinto ao ter de dizer platitudes do gênero à acusação e à plateia. Quando menciono Cláudia Magno e Sandra Bréa, é evidente que não estou falando a sério. É evidente que não estou anunciando que pegarei uma doença ou a transmitirei para os outros. O mesmo dá para dizer da maioria das coisas que Walter escreveu. É preciso ser muito estúpido para transformar esse registro teatral e hiperbólico entre duas pessoas conversando em privado numa declaração literal e pública que revela intenções e caráter.

Cláudia Magno morreu em 1994. Sandra Bréa morreu em 2000. O pastor Jerry Falwell morreu em 2007. Ao longo das décadas, a cruzada contra os sentidos não literais do humor nunca foi abandonada. Mais ou menos na época em que o pastor foi enterrado, o primeiro-ministro da Dinamarca pediu desculpas por caricaturas de Maomé publicadas num jornal do país. Anos depois, muitos fizeram mais ou menos o mesmo no caso *Charlie Hebdo*. O argumento em todos esses casos é que palavras significam posturas. Posturas significam ações. Ações significam consequências. O filtro da linguagem é o primeiro anteparo contra a violência, e há todo um vocabulário que legitima, como naturalização de conceitos construídos história e ideologicamente, a agressão às vítimas — sejam elas gays, negros, judeus, pessoas em posição social fragilizada, pessoas em situação emocional vulnerável. Teca pode ficar tranquila neste ponto: na reação que houve ao vazamento da minha conversa com Walter, nos posts e comentários que apareceram nas redes sociais, um registro do que pensam aposentados, pregadores religiosos, integrantes de torcidas organizadas e quem mais tenha passado décadas ruminando nas sombras até que a tecnologia permitiu sua expressão sem filtros e sem limites, não há dúvidas de que ela está no lado correto da briga.

23.

Autor do post: anônimo. Trecho: Antigamente as pessoas estavam preocupadas com valores, principalmente os da comunidade sem nem falar na educação das crianças [...]. Não tinha violência e essa ladroagem dos políticos. Só tem deputado ladrão [...]. Antigamente os mais velhos eram "respeitados" nas ruas. Eu não tenho preconceito, mas tem uma questão de "respeito" envolvida nisso não sei por que as pessoas negam [...]. Eu digo e não tenho medo hoje em dia é essa "nojeira" que se vê.

Autor do comentário: anônimo. Trecho: A inflamação da sensualidade e a torpeza que recebe em si mesma a recompensa que convinha ao seu erro — Romanos 1:27 [...]. As acusações e o envio dos mensageiros para destruir a Cidade — Gênesis, 19:13 [...]. O castigo da espada, da fome, da peste colocada em Tua presença — Crônicas 20:9 [...]. A abominação que transforma os réus em réus da morte — Levítico 18:22.

Autor do comentário: anônimo. Trecho: Um arrombado se orgulha de sair por aí passando doença para os outros o outro arrombado incentiva esse comportamento [...]. Eu não sou preconceituoso nem nada não estou nem aí para o que cada um faz do rabo mas, tudo tem limite depois eles não sabem porque são perseguidos [...]. A TV é podre só mostra desgraça depois não sabem porque o povo é ignorante e tem tanta nojeira por aí tanta depravação [...]. Depois não sabem porque eles apanham alguém vai lá e mata esses arrombados de merda.

24.

O lado correto desta briga, Teca pode ficar tranquila a respeito, não é o dos aposentados, pregadores religiosos e integrantes de torcidas organizadas que se manifestaram logo depois do vazamento. Foram dezenas, centenas deles. Os mais exaltados poderiam ser localizados sem muita dificuldade. Bastaria que Walter ou eu fizéssemos uma denúncia. A polícia poderia abrir um inquérito e rastrear os comentários, o Ministério Público poderia processar os autores das ameaças e os levar à prestação de serviços comunitários, mas isso não livraria Walter e eu de enfrentar o lado em que Teca está na briga. É esse lado que me trouxe ao tribunal. Todos imaginamos fazer parte dele, nós que somos a favor da tolerância, do equilíbrio, da solidariedade que é tão fácil declarar, então uma briga com quem fala em nome disso tudo não deixa de ser uma briga com você mesmo.

Eu já criei o anúncio de um banco que dizia, aproveite a vida, dinheiro não é a coisa mais importante. Já criei anúncios sobre peças de teatro, creches e espaços públicos de convivência cidadã financiados por fábricas de inseticidas e fomentadores de trabalho infantil. Cada vez que penso na reação de Teca às mensagens, e das amigas de Teca ao vazamento posterior, é como se elas e a internet inteira fossem locutoras de um desses textos. O importante é o tempo para você se dedicar à família e ir atrás dos seus sonhos. O importante é não fazer de sua passagem pelo nosso rico planeta uma aventura em vão. Mostre que a aventura nasceu com você e independe do conflito dos seus interesses com os de outras pessoas, sejam eles puros ou impuros, e não há em você resquício da ambição, inveja, competitividade, agressividade e hipocrisia que vemos no resto do mundo.

Todo fascista julga estar fazendo o bem. Todo linchador age em nome de princípios nobres. Toda vingança pessoal pode ser elevada a causa política, e quem está do outro lado deixa de ser um indivíduo que erra como qualquer indivíduo, em meia dúzia de atos entre os milhares praticados ao longo de quarenta e três anos, para se tornar o sintoma vivo de uma injustiça histórica e coletiva baseada em horrores permanentes e imperdoáveis. Nesse sentido, os quatro dias desde o último domingo têm sido gloriosos para Teca: aqui temos o homem com quem ela foi casada, exposto em público em sua indiscrição e covardia, e cada pedra jogada nele é uma declaração pública de que não praticamos nem toleramos nada parecido com o que ele fez. O que, evidentemente, não inclui a indiscrição de entrar numa conta de e-mail alheia. Nem a escolha de encaminhar as mensagens para outras pessoas. Nem a consciência de que essas outras pessoas acabarão vazando as mensagens. Nem que o vazamento mudará a vida de todos os envolvidos, e para sempre eles carregarão o peso da reação que você sabe que esse tipo de mensagem acarretará em 2016, e nem por um segundo você pensou que em alguns casos essa reação possa ser injusta, ou desproporcional, e que no instante seguinte a isso tudo não haverá mais chance de voltar atrás. Teca selecionou os trechos mais chocantes dos textos, na ordem que mais fazia sentido e mais potencializava o escândalo, a tarde toda do domingo para montar esse dossiê com método, e depois me ligou para falar em maturidade, em respeito, em empatia, em boa vontade.

25.

O telefonema do último domingo ocorreu no início da noite. Como você acha que eu me sinto lendo isso tudo?, Teca perguntou quando atendi, e demorou para eu perceber do que ela estava falando. Ela não deu oi nem perguntou como eu estava. Fazia três meses que não falávamos. As primeiras frases soaram como acusações genéricas porque é óbvio que eu não lembrava da pasta, nem do pedaço de papel com as senhas, e não imaginava que minha convocação para sentar no banco dos réus ocorreria ainda naquela noite.

Quando Teca enfim contou do que se tratava, eu fiquei sem reação. Em nenhum momento eu levantei a voz ou tentei interrompê-la. Ela seguiu falando: acho que você não está entendendo. Quem sabe você pensa por um minuto naquilo que fez. Quem sabe você consegue olhar para si mesmo uma vez. Ter um pouco de... maturidade.

Teca gosta de pausas, de perguntas retóricas e de clichês. Vou ter de desenhar para você entender? Você acha que isso é conversa de mulher abandonada? Tudo é uma questão de...

ciúme. Tudo gira em torno de José Victor, a vítima desse... estereótipo. A *loucura das mulheres*. Que original da sua parte. Parabéns a todos os envolvidos. Além de fazer o que fez, ainda está na posição de dar nota para as minhas atitudes. Você não percebe o grau de manipulação disso. O grau de... violência.

Que orgulho da autoridade que você tinha, ela continuou. O poder de saber que nosso casamento não tinha futuro enquanto me observava à distância. Pobre mulher ignorante. A mulher na gaiola enquanto o dono decide até quando o show vai continuar. Até quando vai o sacrifício de dono magnânimo. Até quando o dono aguenta viver como... castrado. Um *eunuco*. Que usa uma... *aliança de cadáver*. Nossa, que engraçado que você é.

Dá para dividir o telefonema do último domingo em duas partes. A primeira se encaminhou para o final com o resto das perguntas de Teca: o que você acha que eu teria feito se você tivesse me contado antes? Eu teria obrigado você a continuar comigo, amarrado você numa cadeira? Não haveria chance de conversarmos, de eu deixar você cuidar da sua vida em paz, e você deixar eu cuidar da minha, com tanta coisa a ser poupada para os dois? Ou então tentar ajeitar as coisas. Fazer um mínimo de sacrifício em nome de uma relação de tanto tempo. Ter um pouco de... boa vontade. Ser adulto uma vez na vida. Lembrar do que significa a palavra respeito. Ter o mínimo de... empatia. Cuidar do outro. Ganhar e perder junto. Trocar. *Maturidade*. Então, olhe para você. Na hora de se colocar no meu lugar, qual a justificativa que você tem? Sei que você é capaz de passar o dia enganando os outros, esse seu discursinho para vender sabonete. Que produto você vai vender quando fizer sua defesa?

26.

E então poderíamos seguir com cenas selecionadas por Teca. Meus momentos de vulgaridade. Minha... frieza. Pois bem: um mês antes de sair de casa, reservei o quarto no flat onde moro hoje. É claro que não contei a Teca como foram os detalhes dessa escolha. Ela não precisava saber que visitei outros flats, comparei preços, tamanho da cama e do banheiro, layout dos móveis e disposição da cozinha, serviços de lavanderia e internet. Para quem sai de casa, os sentimentos podem ser atenuados pela vida prática: que supermercado há na nova vizinhança, onde posso encontrar um chaveiro, um posto de gasolina, um lugar para tomar um expresso tirado conforme preferências desenvolvidas ao longo de quatro décadas, e se quiserem posso pedir desculpas por isso tudo sem hesitar.

Posso pedir desculpas por ter levado poucos objetos na mudança. Por ter deixado todos os meus livros para trás. Por não ter contratado uma empresa que viesse levar caixas num caminhão, porque achei que isso tornaria tudo mais formal e penoso para duas pessoas que estão se separando. Na noite em que fui embora em definitivo, carregando as últimas duas malas no carro, depois de dar adeus ao cachorro e lavar o rosto antes de dizer adeus a Teca, achei que nunca mais conversaria com ela. É uma decisão como as que você toma sobre coisas que não mais fará aos quarenta e três anos, mergulhar em cavernas, aprender a tocar saxofone, permanecer casado sem querer estar casado, empatar a vida do seu cônjuge por um período em que ele ou ela sofre sem saber a razão, já que por delicadeza você prefere não fazer um relatório completo de seus motivos e atos, e posso pedir desculpas também por achar que esse comportamento não é tão incomum apesar da dor inevitável num rompimento depois de quatro anos de convívio.

A leitura da minha correspondência com Walter causou em Teca um efeito previsível. Foi a primeira vez que ela ouviu da minha boca, mesmo que por escrito e no tom hiperbólico e teatral das mensagens, a história do caso com Dani. Teca pôde comparar as datas, contar quanto tempo eu a traí enquanto estivemos casados, um período em que inventei viagens, jantares de trabalho, o que precisasse até criar coragem e terminar com a agonia. Um dos piores efeitos do julgamento é me obrigar a lembrar daquilo: a sensação de farsa, de estar sujo a cada vez que beijava o rosto de Teca para dar boa-noite, e se não quiserem entender que passei semanas dormindo mal por causa disso, um atoleiro de culpa misturado ao entusiasmo por ter encontrado uma pessoa nova e me apaixonado numa fase da vida em que isso não parecia mais possível — se essa for a base das provas levantadas contra mim, ok, estou pronto para aceitar sem contestações.

Tempo que passei casado já sabendo que não ficaria com Teca: pelo menos um ano e meio. Tempo de caso com Dani antes da minha conversa final com minha ex-mulher: sete meses. Quando decidi ter essa conversa, três meses atrás, eu disse o que as pessoas dizem quando se separam. Preciso repensar a vida, eu falei. Não é nada de particular contra você. Eu é que não estou conseguindo mais levar esta relação adiante, e variações desse lugar-comum se estenderam por uma ou duas horas, e Teca me perguntou se eu estava tendo um caso, e eu preferi omitir a existência de Dani. O tribunal talvez preferisse que eu fosse inteiramente sincero nessa hora, veja bem, estou saindo de casa para ficar com uma pessoa vinte e três anos mais nova que você. Uma mulher que estou amando, Teca, ao contrário de você, uma mulher que não amo mais. Se quiserem me condenar por essa omissão, aceito. Se for crime ter preferido poupar a esposa com quem eu estava casado há quatro anos de saber da minha traição, das mentiras que inevitavelmente acontecem num caso assim, do fato de que pessoas se apaixonam e casamentos terminam e são idas e vindas de uma decisão que demora para ser tomada em definitivo, e no período a única pessoa com quem eu podia conversar a respeito era Walter, e com Walter eu usava a linguagem que sempre usamos para falar das coisas mais sérias e menos sérias — bem, se é esse o crime cometido, eu aceitaria a pena sem maiores discussões. Mas não é isso que o tribunal quer. Não foi apenas disso que Teca falou no telefonema do último domingo. Não se limitou a isso o que Teca fez contra mim em represália, e não é por isso que posso passar o resto da vida respondendo. Esta história vai muito além da discussão sobre fidelidade e compromisso. Sobre desejo e indiferença. Sobre público e privado. Porque esta é uma história sobre tudo isso, sem dúvida, mas não esqueçamos que acima de tudo é uma história sobre morte.

Remetente: eu. Destinatário: Walter. Data: 10/1/2016. Trecho: Conheci ontem uma possível vítima. É uma redatora-júnior da agência. Pela pele, parece ter uns vinte anos. O nome dela é Danielle.

OS RÉUS

27.

Talvez tudo fosse diferente se os termos aqui usados não fossem ofensivos, e eu me limitasse a fazer a descrição da etiologia, curva epidêmica e demais dados históricos e científicos de uma doença. Pois bem, estamos falando da síndrome de imunodeficiência adquirida, ou A.I.D.S., ou S.I.D.A. para quem prefere a sigla em português, uma condição hoje crônica graças ao surgimento do coquetel de antirretrovirais em 1996. Isso exige tratamento contínuo e rigoroso. Na primeira matéria que li a respeito, um paciente contava que chegou a tomar vinte e oito comprimidos por dia, em diferentes horários que não podiam sofrer atraso — em casa, no trabalho, durante viagens. Alguns desses comprimidos precisavam ser mantidos na geladeira, outros eram triturados com uma colher, havia os que eram tomados nas refeições, os que pediam jejum de meia hora antes e uma hora depois da ingestão.

Os sintomas da A.I.D.S./S.I.D.A. não tratada continuam os descritos na reportagem de Hélio Costa. Na África, são clássicos que resistem às modas. No mundo árabe, o relógio também parou. Há milhões de pessoas para quem o coquetel é um nome impresso num jornal estrangeiro que nunca será lido no hospital de onde nunca se sairá. Os sintomas incluem variadas formas de incômodo, limitação, dor, angústia e desespero, com pacientes como um dos entrevistados por Hélio Costa, um sujeito que tinha sido internado quinze vezes em seis meses e pensava que sobreviveria, 1983. Um paciente como Walter, 2016: o médico faz a contagem viral e os testes de imunidade. O médico recomenda adesão rigorosa ao tratamento se ele não quiser ser internado o mesmo número de vezes no mesmo intervalo. Na primeira matéria que li a respeito, um dos usuários do coquetel levava um rolo de papel higiênico na mochila por causa dos ataques súbitos de diarreia. Outro usava uma bengala porque o equilíbrio havia sido afetado por uma neuropatia periférica. Havia menções a formigamento, azia, náusea, vômito, cansaço, tontura. Quase metade dos usuários tinha lipodistrofia, condição que remaneja a gordura dos glúteos, coxas e braços para a barriga ou uma corcunda, em alguns casos para o rosto, a imagem deformada de quem tecnicamente não está doente mas está a algumas pílulas a menos de estar, sem falar no risco de diabetes pelo aumento da glicemia, de insuficiência hepática pela toxidade, de infarto ou AVC pelo aumento do colesterol, e é fácil parar o tratamento por cansaço ou solidão e eis que o túnel do tempo nos devolve a três décadas atrás.

28.

O primeiro amigo de Walter que morreu de A.I.D.S./S.I.D.A. se chamava Lucas. Walter estava junto na última internação dele, e como sempre acontecia naquela época foi preciso esperar por um leito público porque Lucas não tinha plano de saúde. Há todo um aprendizado de formulários, gentilezas com enfermeiros, paciência com médicos cumprindo escalas de plantão de vinte e quatro por quarenta e oito, e você passa as noites numa cadeira para acompanhantes num biombo em que seu amigo só para de gemer ao entrar em coma.

O segundo amigo de Walter que morreu de A.I.D.S./S.I.D.A. se chamava Gunther. O namorado de Gunther estava doente, o namorado anterior também, então coube a Walter acompanhar as últimas etapas do tratamento — uma colonoscopia desnecessária, uma punção de líquido medular tentada várias vezes porque os nervos da região estavam comprometidos e a dor era muito forte, a quimioterapia que só serviu para que os dias finais de Gunther fossem os piores que alguém poderia ter.

O terceiro amigo de Walter que morreu de A.I.D.S./S.I.D.A.

se chamava Eugênio. Havia amigos em comum naquele enterro, e vários deles acabaram do mesmo jeito. Houve um ano em que foram sete. Houve um mês em que Walter foi três vezes ao cemitério. Eu conheci algumas dessas pessoas e me acostumei às cerimônias ao lado da cova, ao barulho das pás, à conversa ligeira no portão de saída enquanto se espera um táxi ou alguém que foi pegar o carro no estacionamento e que em breve também estará debaixo da terra.

Tanto Lucas como Gunther e Eugênio, além de todos os conhecidos de Walter cujo destino foi o mesmo, tiveram sua cota de palavras sérias ditas por pessoas sérias que estavam cientes da seriedade daquele genocídio. Os padres citaram trechos de textos sagrados sobre alívio e redenção. Os parentes lembraram dos momentos de alegria daquelas vidas breves. Os obituários realçaram os feitos notáveis de cada trajetória. É possível ver nessa resignação compungida o único modo de mostrar empatia com aqueles de que Walter cuidou, as famílias que ele ajudou, e em todas as vezes que ele se sentiu vencido talvez fosse mais adequado que se limitasse a chorar ou lamentar a sorte de nascer em tempos tão sombrios, ou culpar o ente divino que permitiu tamanha destruição, mas ao descobrir que havia se tornado mais um nome nessa lista o meu amigo não mudou o modo como falava a respeito de tudo isso.

29.

No fim de 2014 Walter me disse, o problema de tomar café é que dei bom-dia para a A.I.D.S./S.I.D.A. Nós estávamos no restaurante onde sempre almoçamos, ele comendo frango com quiabo, eu comendo frutos do mar, e caranguejo é um negócio impossível de destrinchar com garfo e faca, não conheço quem não termine todo sujo de limão e restos.

Walter disse, você sabe que está olhando para um homem condenado. Você está almoçando em frente a um cadáver. E ele riu, claro, o que mais esperar dele, e eu pensei que precisava parecer o mais natural possível ao ouvir aquilo. Eu precisava manter o tom mais natural possível ao me manifestar. O tom que era corriqueiro entre nós: antes de passar o guardanapo na boca, no queixo e nos dedos, e ainda havia a sobremesa a pedir, a conta, a maquininha do cartão — antes eu perguntei se o cadáver tinha certeza do diagnóstico. Se o cadáver já tinha um médico de confiança. E se passaram alguns minutos, o suficiente para não parecer que eu estava abalado, que não estava tratando aquilo como tragédia, pelo contrário, afinal esta é uma doença controlável desde 1996 e é possível ter décadas de vida normal se o tratamento tiver sucesso, foi o que consegui falar ao cadáver controlado, normal e bem-sucedido à minha frente, sem mencionar o que li sobre diarreia, náusea, tontura, formigamento, diabetes, lipodistrofia, insuficiência renal e hepática, infarto e o AVC, então pedi licença e fui até o banheiro e me fechei num dos cubículos e meu corpo inteiro tremia.

A cada vez que penso na reação às mensagens vazadas, é como se a internet inteira escrevesse uma tábua de mandamentos na qual a obrigação é dar seguimento à cena do banheiro do restaurante, a pressão sanguínea baixando, meu pescoço mole, os meses seguintes numa catarse contínua de lembranças daquela amizade cheia de aprendizado e cumplicidade agora ameaçada por um fantasma silencioso, mas sinto informar que as coisas não precisam ser assim. Eu lavei o rosto em frente ao espelho. Eu respirei fundo antes de voltar à mesa. Walter estava com a aparência saudável, um diagnóstico recebido num checkup que ele nunca havia feito antes por tantos motivos tão justificáveis, e o resto da conversa não teve nada de lacrimoso. Nós falamos sobre RNA. Sobre CD4 e CD8. Sobre ITRN, ITRNT e ITRNN. O que é dito em tom de tragédia também pode ser dito em tom de comédia, e entre as duas coisas há uma vasta nomenclatura técnica para explicar a atual saúde de Walter, o perfil de um paciente segundo protocolos do Ministério da Saúde, idade, estrato socioeconômico, situação familiar e emocional, o que esse paciente fez ou deixou de fazer antes de se apresentar diante de um médico, do melhor amigo ou de si mesmo.

30.

Walter achava que havia pegado A.I.D.S./S.I.D.A. numa viagem ao Rio. Minha primeira pergunta técnica foi sobre quando havia sido a viagem, para ter ideia do tempo entre a possível infecção e os possíveis sintomas se não houvesse o tratamento adequado, mas Walter não sabia com precisão, ou não lembrava naquele momento, ou não queria lembrar por algum motivo que não insisti em descobrir. Uns anos, ele falou. Talvez quatro, o que botaria a data em 2010. Talvez cinco ou seis, o que botaria em 2009 ou 2008. O Rio de Janeiro é uma cidade ensolarada, e você bebe caipirinha enquanto as pessoas levam um tiro ou são presas por engano ou adoecem em favelas e prédios gradeados na Barra ou na Zona Sul, e apesar disso é possível conhecer alguém ao voltar de um mergulho longo e refrescante — a tarde em que Walter dividiu uma barraca na praia com dois ou três conhecidos e mais dois ou três conhecidos desses conhecidos, e entre eles há um sujeito para quem meu amigo dá oi e por quem se apaixona instantaneamente.

O primeiro namorado que Walter me apresentou se chamava Edson. Depois houve Nuno, Paulo, João Guilherme e mais algum que eu devo ter esquecido. Até o almoço do caranguejo eu não sabia de maiores detalhes sobre o sujeito do Rio. Não há nenhum registro disso nas mensagens. O que posso dizer do episódio foi o que Walter terminou de contar no restaurante: a semana que passou com o sujeito num apartamento não muito longe da barraca onde os dois se conheceram, os dois bebendo e cheirando quase sem pôr os pés na rua, o momento em que você percebe ter encontrado aquilo que estava procurando desde sempre, e daí por diante é um caminho conhecido entre a euforia e a sensação de esmagamento. O sujeito foi ao aeroporto quando Walter pegou a ponte aérea. No momento em que Walter pisou em São Paulo, o sujeito parou de responder mensagens e telefonemas. Tudo o que Walter conseguiu fazer naquelas primeiras semanas foi esperar que a raiva se transformasse em tristeza, depois em rotina, e uma hora você percebe que as coisas voltaram a ser como sempre, o trabalho, os namoros rápidos e inconsequentes, a previsibilidade de uma ou outra recaída num lugar como a sauna Moustache's.

Se o tribunal prestar atenção nas datas dos e-mails, verá que não há referências à sauna depois que Walter fez o checkup. Tais histórias são mais antigas, quando as considerações a respeito não tinham o peso do diagnóstico que mais tarde ele receberia. A desconfiança de que havia se contaminado no Rio passava pela versão que Walter reforçou para mim no restaurante do caranguejo: a de que nunca deixou de se proteger na sauna. De que não era ignorante, idiota ou suicida. Ele pode ter sido ignorante, idiota ou suicida no Rio, mas você nunca diz isso de alguém que está apaixonado. O açougue deixa de imperar quando você se convence de que há mais em jogo do que o tom da pele de um sujeito na praia, o cabelo, os braços, o volume na sunga dele, o convite para conhecer o apartamento onde você passará os melhores dias em muitos anos, e Walter pode então se iludir que nunca mais estará sozinho, e ele diz isso para o sujeito do Rio e o sujeito do Rio diz o mesmo de volta, e quem duvidaria de uma sorte assim depois de tanto tempo no deserto e na escuridão?

31.

Walter não pensou mais no sujeito do Rio até o fim de 2014. Uma semana antes de ele decidir fazer o checkup, um dos conhecidos que estava na barraca de praia contou que o sujeito havia morrido de pneumonia. O sujeito era dependente químico, e a saúde de alguém nessa condição é sempre um tanto frágil. Walter não sabia se a morte se devia apenas a isso ou a algo que os amigos do sujeito não sabiam, ou não quiseram comentar, mas que segue ocorrendo em silêncio mesmo depois do surgimento do coquetel: alguém que recebe um diagnóstico tardio, que não tem disciplina para lidar com o tratamento, que não busca o auxílio profissional devido, a estrutura e a autoestima necessárias para viver como se nada de grave tivesse acontecido desde 1981.

Walter me pediu segredo ao saber do resultado do teste, e por isso não contei nada a ninguém. Ele me prometeu que veria um terapeuta, e por isso me informei e indiquei um. A melhor receita nessa situação é ter o dia a dia mais estável possível. Não adianta você tomar cálcio e vitamina D se não pegar um pouco de sol. Não adianta ingerir um carregamento de pílulas se não se alimentar direito. Você precisa dormir o suficiente, evitar beber e tomar drogas que baixem a imunidade, evitar as interrupções que criam resistência aos remédios, e para isso você se cerca de amigos que afastam a preguiça, o conformismo e a depressão.

Talvez você não tenha tantos amigos assim por perto. Talvez haja apenas aquele à sua frente no almoço do caranguejo. Esse amigo paga a conta, se despede de você, e na semana seguinte há outro almoço no mesmo restaurante, e os meses passam e as coisas boas e ruins seguem mais ou menos no mesmo ritmo, as pessoas que surgem e vão embora da sua vida, as ilusões que todos teremos uma hora ou outra pelos mesmos motivos de Walter no Rio em 2010, 2009 ou 2008. A notícia dada por ele em 2014 coincidiu com o início da fase final do meu casamento. Foram meses em que as coisas se misturaram, o choque pelo que Walter contou sobre sua saúde e as dúvidas que eu tinha sobre Teca. Se dá para falar algo positivo sobre aquela época, eu diria que foi por causa de Walter que consegui ter mais perspectiva sobre o meu futuro: a consciência de que eu não estava condenado a fazer nada que não quisesse, e eu não deveria me sentir tão culpado por pensar em sair de casa, porque esse impasse era pequeno diante do que o meu amigo enfrentaria dali em diante, uma espécie de alívio que ganhou dimensão concreta quando enfim eu conheci Dani.

32.

Se o tribunal contar o número de piadas que fiz sobre Dani, verá que nem são tantas assim. O impacto é compreensivelmente forte, no entanto, por elas terem sido agrupadas em sequência por Teca. É importante fazer essa ressalva para que as sentenças aqui proferidas correspondam à natureza, às circunstâncias e às consequências dos delitos retrospectivos. Isso vale para os escritos de Walter e também para os meus: se uso as mesmas referências que ele para falar de coisas da minha intimidade, não foi só porque essa era a forma de evitar um tema tabu nas conversas com o meu amigo. A forma de não tratar o meu amigo com um cuidado paternalista depois que ele soube do resultado do teste. A forma de mostrar ao meu amigo e a mim mesmo que tudo continuava como antes, a mesma liberdade e naturalidade na maneira como nos comunicávamos e confiávamos um no outro.

33.

Se uso as referências de Walter para falar de Dani, isso aparece apenas em e-mails da época em que a conheci. Em que eu não sabia quase nada dela, e não sentia nada além de uma atração imediata pela beleza e juventude dela, e ela poderia ter sido apenas a redatora-júnior que levei a um bar com balcão colorido, e minhas palavras teriam se perdido como o que se comenta sobre alguém que não tem importância. À medida que minha relação com Dani mudou, todavia, o sentido do que falei no passado saiu da esfera momentânea da indiscrição e virou um incômodo permanente. Não sei se adianta dizer que me arrependi de ter sido tão descuidado. Ou que nunca usaria de novo os termos que usei a respeito da minha namorada. E que enquanto esses termos são reproduzidos no tribunal, diante da plateia que presta atenção para não perder nenhuma sílaba, eu até entendo um pouco da fúria da acusação.

34.

Remetente: eu. Destinatário: Walter. Data: 31/1/2016. Trecho: Teca está viajando. Estou pensando em convidar a vítima redatora-júnior para contrair A.I.D.S./S.I.D.A.

35.

Não sei se adianta dizer que em alguma medida os acusadores têm razão. Eu nunca afirmei que sou cem por cento inocente. Ou que espero ser cem por cento absolvido. Há outras mensagens a serem lidas no tribunal, e quanto a elas eu posso seguir pedindo desculpas antecipadas, mas insisto que este julgamento não trata apenas de indiscrição. Não trata apenas de insegurança masculina disfarçada por bravatas entre amigos. Isso ficará mais claro quando as demais testemunhas forem ouvidas, e a principal delas já está presente. Bom dia. Você pode confirmar seus dados? Paulistana. Vinte anos. Estudante de publicidade e redatora-júnior. Mãe cabeleireira. Pai ausente. Desculpe por convocá-la a vir. Eu sei que a última coisa de que você precisava era estar aqui. Mas não tenho como fazer diferente, Dani: ao sairmos do tribunal você não será mais quem foi até hoje. Nem eu poderei ser. Nem o mundo que conhecemos existirá do mesmo jeito. É preciso nomear as coisas para que elas se fixem no tempo, portanto, e possam morrer como o que foram de fato para que daí nasça algo igualmente verdadeiro.

36.

É possível que Dani seja a última pessoa da agência a ler o que escrevi a Walter. Nos últimos quatro dias, depois que o vazamento cumpriu todas as etapas entre ser assunto de um pequeno grupo de amigas de Teca e virar a fofoca do semestre no meio publicitário, ela se tornou ainda mais o que talvez já fosse nos últimos meses: o centro das conversas no fumódromo, no restaurante por quilo, uma avaliação agora definitiva da postura e do caráter da redatora-júnior considerando suas roupas, sua aparência física, suas opiniões, o horário em que ela chega e sai, tudo sob critérios que obedecem à visão de mundo da secretária e do auxiliar administrativo.

Dani começou a trabalhar numa época de crise da publicidade. O mercado mudou a partir do início dos anos 2000, com as corporações de internet tirando das agências parte do dinheiro usado para campanhas milionárias em grandes veículos da antiga imprensa. Clientes agora podem atingir um público mais específico com verbas menores, por causa dos algoritmos que customizam os hábitos e escolhas de todos nós, obtendo uma resposta mais imediata, eficiente e mensurável por meio de pagamentos por clique e outros recursos que dispensam o custeio do tradicional estilo de vida criativo. Comparando a vinte anos atrás, o horizonte financeiro de alguém na minha posição não chega a impressionar. O futuro profissional de alguém como eu não chega a ser brilhante. As perspectivas para uma velhice estável e orgulhosa não são tão prováveis como já foram. Mesmo assim, vá explicar esse pequeno drama tecnológico-decadentista para a secretária, que passa o dia falando sobre fotos e aniversários de bebê, e para o auxiliar administrativo, que sonha em ser redator porque gosta de trocadilhos e pontos de exclamação. Vá explicar que eles trabalham na agência há anos, sem nenhuma regalia ou perspectiva de crescimento, e uma garota no sexto semestre de faculdade aparece e vai a um bar de balcão colorido acompanhada pelo diretor de criação, o sujeito que ganha num mês o que eles demoram três, quatro ou doze para ganhar, então são naturais os comentários sobre a arrogância que a redatora--júnior nunca disfarçou, sua ambição e cara de pau, seus decotes e saias e a espionagem que ela muito provavelmente fez em meio a seus colegas, e agora há a prova escrita de como tudo pode ser ainda mais sórdido.

Até onde sei, Dani só ficou sabendo sobre tudo hoje, quinta-feira. Nós ainda não falamos sobre o assunto. Sei que isso precisará ser feito logo mais, mas ainda me sinto imobilizado observando a reação em cadeia: um bolor de ressentimento e vingança crescendo sem controle, os efeitos no mundo concreto para além dos posts e comentários, com a primeira dessas consequências atingindo a única personagem inocente da história. Por volta das nove da manhã de hoje, logo ao chegar, sem perceber que os demais funcionários a vigiam enquanto ela liga o computador, vai ao banheiro, enche a garrafa de água, para diante da janela do décimo quarto andar que dá para a avenida Berrini, a última vez que olha para aquelas pessoas andando entre os carros e prédios numa condição igual de anonimato, Dani foi chamada no setor de RH para conversar sobre seu envolvimento comigo.

37.

Autor do comentário: anônimo que é ou poderia ser a secretária. Trecho: *Vamos falar sério, Brasil. Não tenho preconceito nem nada, mas o que está acontecendo tem nome* [...]. *Estão esquecendo que o que um não quer dois não fazem* [...]. *Tudo só acontece porque tem gente que não se dá ao respeito.* [...] *Tem gente que acha que engana todo mundo por todo o tempo* [...]. *Amiga, não adianta posar de vítima na história* [...]. *Sinto muito, amiga, mas não vai achando que vamos esquecer o que você faz para subir na vida.*

Autor do comentário: anônimo que é ou poderia ser o auxiliar administrativo. Trecho: *Bom dia para quem procura um puta exemplo de ascensão profissional!* [...] *Dá para escrever um livro: "Como Se Dar Bem No Ambiente Corporativo!" Tirem a segunda palavra do título, e o conteúdo fica ainda mais explícito!* [...] *Já posso imaginar a autora desnudando seu conteúdo nos talk shows!* [...] *Uma profissão antiga, a mais antiga do mundo, mostrada de um jeito gostoso que só a autora sabe fazer!*

38.

O RH de uma agência de publicidade não é muito diverso do de uma corretora ou tecelagem. Sempre há alguém para providenciar champanhe nas datas especiais, para dar os avisos da brigada de incêndio. O discurso do RH publicitário opera num nível próximo e sentimental que não combina com as grandes desculpas de conjuntura. Não seria a gerente da área a falar para Dani de algoritmos e rendimentos decrescentes numa época de mudança nos modelos de negócio do setor de comunicação. Não seria ela a falar sobre o peso desses fatores no futuro de uma agência que está para ser vendida para um grupo internacional. O nome do grupo é Banfeld/McCoy, mas não seria a gerente do RH que faria qualquer citação a respeito em meio ao *counseling* ministrado numa sala de cortinas abaixadas em frente a uma segunda testemunha.

O foco dela foi outro. Eu sei porque Dani me ligou logo depois da reunião. Esta quinta-feira não está sendo fácil: não fui trabalhar pela manhã, não sei como será a minha tarde, a única coisa que farei nas próximas horas será encontrar a minha namorada. Ao me ligar, ela estava perplexa de um modo até previsível. Eu não podia esperar que ela agisse com menos surpresa, as perspectivas de alguém que foi envolvido numa situação assim aos vinte anos: você sabe que seu nome também está nos mecanismos de busca, que você estará para sempre vinculada às conclusões que cada um tirou do escândalo, que isso está ao alcance de dois cliques a cada futura entrevista de emprego, a cada flerte com alguém que você acaba de conhecer, a cada pesquisa que sua família ou seus amigos fazem sobre você, e a gerente de RH também sabe disso e tem o cuidado de mencionar o que você tem o direito legal de fazer a partir daí.

Eu vejo a gerente de RH como uma espécie de aperfeiçoamento de Teca. Tudo o que Teca disse no telefonema do último domingo foi aperfeiçoado por quem se pronunciou sobre as mensagens, com menos ou mais ênfase, em esfera pública ou privada se isso ainda fizer diferença a esta altura. Muitas dessas pessoas se apresentaram prontas para cumprir o papel que se espera delas. São pessoas que não usam os termos primários do preconceito moral. Desta vez não são boçais homofóbicos que falam em *arrombados*, ou colegas ressentidos que comentam sobre a redatora prostituta que não se dá ao respeito, mas um grupo de profissionais, estudiosas e ativistas que chama as coisas por seu verdadeiro nome. Que sabe enfrentar pressões. Que sabe prestar ajuda a vítimas de assédio ou opressão ocorrida no escritório ou no ambiente social, ou mesmo na intimidade de uma relação em que apenas um lado é poderoso e exerce o seu poder discriminador. Isso se manifesta nos atos, mas também na linguagem. Não existe separação entre as duas esferas. Escolher palavras é escolher ações, e lá vamos nós mais uma vez: nas pesquisas que Dani poderá fazer sobre o caso, basta digitar o meu nome para ler os termos sugeridos pelos mecanismos de busca. Não apenas as palavras *abuso*, *manipulação*, mas principalmente o nome da pessoa que pode quebrar esse ciclo. Da pessoa que pode dar um basta. Vinte anos de idade, e mais uma vítima de uma questão que não será combatida a não ser que a Dani de 2016 faça um favor às Danis de 2020, 2030, 2594, libertando-as dos José Victors de todos os tempos e lugares.

39.

Autora do post: amiga de Teca. Trecho: Aí você acorda e percebe que ainda vive na Idade Média [...]. Acabo de ler uma coisa que me fez perder um pouco da esperança que tenho. Vontade de morar no mato e nunca mais lembrar que certas pessoas existem.

Autora do post: outra amiga de Teca. Trecho: O mais triste num indivíduo supostamente civilizado é a incapacidade de enxergar o Outro. Não é um ser humano que está ali, mas um Objeto [...]. Este pode ser o nervo de certas relações, e não estou problematizando apenas os papéis culturais de Gênero, embora estes me pareçam fundamentais aqui, não só na esfera pública das relações mercantis e da Grande Política. Estou problematizando, de forma análoga, o Teatro Social entre quatro paredes, no qual este indivíduo supostamente civilizado, posto que bem-sucedido no trabalho e demais índices de sucesso em nossa coletividade, revela-se, ao contrário, um porta-voz da Barbárie [...]. O sexo, não nos enganemos, é uma construção que internaliza, naturaliza e reproduz a linguagem — logo, a expressão do que somos — do Poder.

Autora do post: pessoa de quem nunca ouvi falar. Trecho: O

ódio a quem não é homem — seja na forma de simples objetificação, ou de abuso, ou de agressão, ou de estupro — parece sempre
natural [...]. Ninguém questiona o lugar de onde são determina-
das essas Relações de Poder, porque elas não aparecem como Relações de Poder, e sim como Relações Consensuais. É a Não Violência da Não Ideologia [...]. Nos dizem que não há nada de político
no Corpo Feminino. Não há nada de político na Consciência
Feminina. Não há nada de político na Imagem Feminina. A
mulher que reage contra o Atentado Simbólico à sua imagem parece gritar no escuro, histérica, porque ninguém vê o que a fez chegar
a esse lugar de desespero [...]. Sexo é, sim, Terreno de Política.
Moral é, sim, Terreno de Política. Respeito é, sim, Terreno de Política. Cuidado é, sim, Terreno de Política. A Saúde é, sim, Terreno
de Política. A Vida é, sim, Terreno de Política.

40.

Se Dani optar pelo caminho político à sua frente, basta seguir a orientação da gerente de RH. Ou de outra profissional, estudiosa ou ativista ciente das dificuldades que esse caminho apresenta — o necessário apoio jurídico e administrativo, o auxílio técnico e emocional para fazer uma denúncia. Dani nunca mais falará comigo. Nunca mais correrá o risco de encontrar o opressor masculino que a agredirá física ou emocionalmente como meio de intimidação. Nunca mais servirá de isca para manipuladores que irão propor relações laborais e afetivas assimétricas, em que apenas um dos polos detém o poder, o dinheiro, a fama, a força física e a prerrogativa de decisão. Basta ter um cargo numa agência. Basta ter o cabelo grisalho. A profissional, estudiosa ou ativista explicará a Dani que a tomada de consciência nesses casos é sempre dolorosa. É preciso vencer o medo e a vergonha e todo um condicionamento que faz você ver como natural e imutável um estado de coisas estabelecido antes de você nascer. O mundo foi desenhado pelos homens para que eles possam continuar fazendo o que querem sem oposição. A tomada de consciência significa ajudar as pessoas que estão na mesma condição em que você estava, gente mais jovem que seus algozes, mais inocente, com menos recursos que eles, fragilizada por um jogo em que eles fazem você acreditar nos méritos que tiveram para chegar aonde chegaram, o esforço e os obstáculos vencidos para que este pai, chefe e marido possa continuar dizendo o que é razoável esperar da atitude de suas vítimas.

Mas há outras opções no caminho de Dani, e talvez estejamos diante de uma vítima um pouco menos previsível, um pouco mais complexa do que permite a caricatura ideológica ou um resumo de itens que se transforma numa identidade. Paulistana. Estudante de publicidade e redatora-júnior. Mãe cabeleireira. Cineasta: Stanley Kubrick. Série de TV: *Game of Thrones*. Principais qualidades: humor rápido, atenção ao que os outros dizem. O que Dani espera de seus amigos: inteligência, lealdade e diversão. O que espera de um namorado: a mesma coisa. E que o namorado cuide dela. E que a deixe cuidar dele também. E que o sexo seja bom. E que ela aprenda e ensine coisas. E lembre todos os dias que tudo recomeça todos os dias. E que não há nada de errado em admirar alguém que você mal conhece ainda, seja ele publicitário, artista, engenheiro mecatrônico ou gari, e que a posição profissional alcançada pela própria capacidade, esforço e superação de obstáculos específicos em cada caso faz parte das qualidades a serem admiradas num indivíduo tanto quanto a cultura, o charme, o temperamento, a capacidade de autocrítica e o senso de justiça, a estrutura emocional e tantos outros atributos que fazem alguém ser quem é tanto quanto a beleza e o funcionamento do sistema excretor.

41.

Quando Dani me conheceu, o máximo que consegui dizer foi a piada constrangedora: em que ano você está na faculdade? Ainda é tempo de desistir do curso e não deixar uma herança de desonra para os seus filhos, rsrsrs. Eu tinha consciência do ridículo da situação, mas sei lá como consegui continuar: uma fala que incluía não só a agência e a publicidade em geral, mas o fato de eu ser diretor de criação na agência e não ser bem um *publicitário em geral*. No bar com balcão colorido, depois da ida ao banheiro para cheirar e me olhar no espelho e me sentir à vontade comigo mesmo e com o resto da humanidade, eu sentei à frente dela e disse, você sabe que tipo de profissional eu sou? Eu sou daqueles que convidam a redatora-júnior para tomar drinques. Eheheh. E que depois a convidam para ir a um motel. Kkkkkk. E Dani respondeu, eu sei, e eu sou daquelas que aceitam o convite. Ohohoh. E se encantam com poder e riqueza. E depois do golpe do baú processam você e acabam com a sua carreira e a sua vida.

É curioso lembrar o momento em que nasce um vínculo,

os sinais inconfundíveis que aparecem numa frase despretensiosa ou numa biografia. Na conversa do balcão colorido, Dani contou que a mãe dela cortava cabelo num pequeno salão na Zona Norte, mais tarde abriu o próprio negócio, três funcionárias e décadas de trabalho duro enquanto a filha é uma boa aluna na escola pública, mais tarde na faculdade onde ganha crédito educativo, e no sexto semestre ela entra na agência onde pretende aprender e contribuir com sua energia escrava de redatora-júnior. Dani falou da vizinhança onde passou a infância: os sobrados, o carteiro que foi mordido por um vira-lata, as corridas de bicicleta e as tardes que ela passava no salão folheando revistas e conversando com as clientes sobre esmaltes e novelas. Esse é o momento em que entram os violinos, ela completou, a trilha de uma história edificante no coração da classe média microempreendedora — a ética da perseverança e os valores que serão corrompidos quando essa filha se formar e passar a mentir sobre carros, planos de saúde, ração para felinos e artigos de higiene íntima.

Dani entrou na publicidade porque as pessoas acham que ela é criativa e engraçada. Nunca a ouvi disposta a se engajar num coletivo universitário. Nunca a ouvi falando em tirar um ano sabático, em aderir a uma atividade comunitária. Ela não está certa ainda se quer trabalhar com criação, se quer migrar para as relações públicas, o marketing, a pesquisa aplicada a uma agência que não é mais agência no sentido que o último meio século nos ensinou, lidando com clientes que pagam para ouvir conceitos criados por alguém cujo principal talento é dar nomes novos para coisas velhas, mas o objetivo de um modo ou outro é ganhar dinheiro. É tão raro encontrar alguém que admita isso no universo em que trabalho, os agentes socialmente responsáveis, ambientalmente militantes, comprometidos com a luta pelos direitos civis das minorias, profissionais da propaganda que se tornaram o esteio da consciência altruísta de nosso tempo tanto quanto os políticos, as celebridades de novela e os CEOs de igreja, que me senti à vontade para também ser honesto com Dani — do mesmo modo, usando o mesmo tom para falar sobre o diretor e sua subalterna, o carrasco e sua vítima, e eu nunca precisei explicar a ela o quanto de seriedade e ironia havia em cada palavra que era dita. Eu não precisei explicar que fazer uma piada com a filha da cabeleireira não significava desprezar a filha ou a cabeleireira. E que fazer uma piada exaltando o estilo de vida publicitário não significava endossar o estilo de vida publicitário. Eu não comecei a me apaixonar por Dani porque gostávamos dos mesmos livros, ou por tomarmos as mesmas drogas, ou por começarmos a ficar à vontade com a presença física um do outro, os regimes de comida, sono, silêncio, higiene e solidão essenciais para compor esse tipo de sintonia, mas porque antes de qualquer coisa houve um acerto de tom — que logo passou a espelhar um acerto do que de fato importa no destino de um casal.

42.

No início de um relacionamento tudo é tão frágil, basta uma palavra dita fora de hora, um telefonema que não foi feito ou a menção a alguém que parece ter mais importância do que tem, o temperamento que você ainda não conhece e soa indevidamente agressivo ou distante, e a pessoa que nasceu para estar do seu lado vai embora sem que você tenha a chance de saber disso. Nas semanas seguintes ao primeiro encontro, Dani e eu seguimos testando os limites do que começou a soar como uma possibilidade única, o diálogo do balcão colorido reiterado com pequenas variações: Dani me contava como era fácil manipular os outros figurões da agência ao vestir uma camisa sem sutiã, eu explicava como seria fácil tomar um drinque com qualquer das redatoras em situação financeira e emocional vulnerável, e ela dizia quer apostar como a filha da cabeleireira será promovida e o diretor de criação acabará motivo de piada, e eu perguntava é assim que você vai me punir por eu ter sido tão bonzinho, e ela respondia eu é que preciso ser punida porque um dia vou constituir um advogado e arrancar o seu último centavo. E quando chegávamos ao motel que passamos a frequentar, depois de um expediente em que escondíamos dos colegas o que estava acontecendo, como se não tivéssemos saído da agência no mesmo carro, eu a pegando a dois quarteirões de distância, depois de mais um dia em que ela foi observada pela secretária e o auxiliar administrativo, e fez questão de ser uma redatora-júnior exemplar, nenhuma entrega fora do prazo, nenhum trabalho repassado para terceiros, nesse momento à noite eu dizia a ela, agora você vai tirar a sua roupa. Vai tirar minha roupa também. Vai arrumar o quarto rebolando para eu ver. Vai tomar banho e voltar com as pernas abertas para mim. Vai engatinhar até um pires que botei no chão, e quero ver você beber leite como meu animalzinho-júnior, e Dani dizia depois que eu beber o leite vou fazer xixi no lugar errado e ser punida pelo meu animalzinho--sênior, quero que você seja bravo comigo, me prenda com uma coleira, me use toda a noite como meu diretor poderoso que depois será jogado na fogueira pública da humilhação. Que mais você quer que eu diga no futuro processo de linchamento? Quer que eu visite você na sala de castração? Que eu leve um pires de leite para você tomar quando cair no ostracismo impotente? Rsrsr. Eheheh. Kkkk. Ohoho. Diz para mim, meu abusadorzinho gostosão, faça uma lista dos seus desejos porque sou sua vítima abusadinha e estou dentro da lâmpada pronta para atendê-los.

43.

Até conhecer Dani, eu não gostava de fazer listas. Foi ela que passou os últimos dez meses imitando a voz de Pedro Bial no vídeo do filtro solar: a) *Aproveite bem o poder e a beleza da juventude*; b) *Preocupação com o futuro é tão eficiente quanto mascar um chiclete para resolver um problema de álgebra*; c) *As encrencas de verdade tendem a vir de coisas que nunca passaram pela sua cabeça*. Eu me acostumei a essa mania dela, que aos poucos virou uma piada minha também. Coisas que odeio na agência. Coisas de que gosto em você. Coisas de que vou ter saudade se tudo terminar na manhã de uma quinta-feira:

— O hábito de esfregar a lâmpada, esperar que a vítima saia lá de dentro e observar seus movimentos, porque a suspensão torna as coisas ainda mais intensas antes de começar a agir.

— O hábito de anunciar bem alto, no modo impostado que a vítima me ensinou a usar, a punição merecida por ela.

— O hábito de punir a vítima com método, duração e energia que ela merece.

— O hábito de esperar que a vítima se recomponha depois

da punição, às vezes repetidamente na mesma noite, manhã e dia, e então mandar eu cozinhar e servir comida para ela.

— Tirar a minha roupa para a vítima, arrumar o quarto quando ela assim quiser, lavar louça e passar roupas, beber leite no pires se a vítima assim pedir porque acha engraçado que eu faça isso de vez em quando, assim como eu acho engraçado cumprir qualquer papel que ela determine, e acho estimulante rir junto com ela, e dar e ganhar presentes, contar e ouvir histórias, meu fascínio ao observar Dani quando come, dorme, se mexe e respira, minha vontade de protegê-la quando ela se enrosca em mim e passamos muito tempo sem nos desgrudar, minha disposição de ser sincero como nunca fui com nenhuma outra mulher, e dez meses depois dois adultos se transformam em algo impensável no minuto em que se conheceram.

— Mandar o resto do mundo à merda, porque ninguém tem nada a ver com o que esses dois adultos fazem na intimidade e consensualmente.

44.

Para muitos adultos, chegar à intimidade consensual nem sempre é um caminho virtuoso. As pessoas mentem para parecerem bem resolvidas, incorporam personagens para parecerem mais interessantes do que são, omitem fatos embaraçosos do presente e do passado, e que novidade pode haver nisso? Eu já pedi desculpas por ter feito um pouco de tudo isso com Dani no começo, um esforço para que minha primeira imagem fosse de um homem seguro e descontraído aos quarenta e três anos, apenas um casamento arruinado a ser formalmente rompido em breve, o chefe magnânimo e o amante experiente que seria incapaz de se vangloriar do que aconteceu no bar do balcão colorido, na ida para o motel depois, e que jamais cometeria essa indiscrição por escrito para o amigo com quem não tinha nenhum segredo.

Remetente: eu. Destinatário: Walter. Data: 2/2/2016. Trecho da mensagem: Fui beber com a vítima redatora-júnior ontem.

O rompimento formal do meu casamento só aconteceu sete meses depois de eu conhecer Dani, e se já pedi desculpas por todo o resto não há muito que fazer quanto a essa parte. Eu não podia sair de casa ainda porque não tinha a coragem necessária para abandonar Teca. A coragem necessária para abandonar Teca só veio quando tive certeza de que estava apaixonado por Dani. A certeza de que estava apaixonado se formou aos poucos, quando a natureza do que aconteceu em nossa primeira noite começou a mudar. Na primeira noite, eu ainda tratei Dani como um chefe magnânimo e um amante experiente trataria uma redatora-júnior: eu olhei nos olhos dela, tirei delicadamente cada peça de roupa dela, a libido igualitária que não transforma o corpo de ninguém no objeto de uma fantasia de qualquer ordem, e as coisas poderiam ter continuado assim num relacionamento que teria sido como todos os que eu havia tido, eu como uma espécie de virgem porque no máximo dei um tapinha experimental na bunda de Ana Paula (fui desencorajado a fazer isso de novo), ou mencionei um tapinha experimental numa conversa com Carolina (frase que foi recebida com espanto e alguma indignação), ou comentei o tapinha experimental da cena de um filme a que assisti com Simone (seguiu-se um silêncio que interpretei como recado). Eu dei tapinhas, tapas e surras em outras mulheres com quem estive eventualmente, sempre de modo consensual, mas é diferente fazer isso com timidez e autoconsciência, ou com indiferença diante de alguém que você nunca mais verá. Em nenhuma dessas ocasiões eventuais houve chance para um relacionamento duradouro, a experiência de transformar aquilo que se chama de conjunto de atos mecânicos naquilo que se chama de amor, então tudo acabava numa resignação entre a melancolia e o arrependimento: era como se eu me olhasse de fora ao praticar a mecanicidade dos tapinhas, tapas e surras, sabendo que aquelas mulheres eventuais podiam estar achando tudo um pouco estranho, e cada uma delas estava ali apenas para me agradar, como você agrada o parceiro ou a parceira que gosta de apagar a luz, ou gosta de ficar debaixo da coberta para que seu corpo não seja visto, ou de segurar os gemidos e as palavras para que ninguém jamais saiba o que ele ou ela está pensando, e quando essa contenção ocorre é natural que você se encolha, murche e desista pensando que nunca conseguirá dar vazão real ao seu desejo.

45.

A primeira página da revista pornográfica que folheei aos onze ou doze anos mostrava a casa onde a esposa acorda num dia em que o marido empresário está viajando. Na página 1 a mulher se espreguiça e a legenda explica que ela está muito carente. Meia página depois o interfone toca na cozinha onde o motorista está tomando seu café da manhã, e na sequência o motorista já está no quarto e veste uniforme e a mulher diz, que dia quente, por que você não fica mais à vontade? Deve ser ruim ter um patrão como o meu marido, que obriga você a se vestir deste jeito. A mim ele não obriga a nada. Você acha que ele devia fazer isso? Que ele devia me disciplinar porque sou uma esposa atrevida? O que você faria se estivesse no lugar dele? E a mulher provoca o motorista até que ele não aguenta e tira o cinto da calça e vira a mulher de costas e diz, você vai aprender uma lição agora, vai receber um castigo bem dado, e a mulher passa o resto das páginas dizendo deixa minha bunda vermelha motorista porque é esse o castigo que mereço.

Além do poder de descobrir e despertar o gosto secreto de

cada um, a principal característica da pornografia é ser ridícula para quem é indiferente àquilo que está sendo mostrado. Tenho consciência do ridículo que é fazer esta confissão, relacionando o que disse a mulher da revista com o que disse a mulher do puteiro da praça da República e todas as mulheres com quem estive a partir de então. A mulher do puteiro da praça da República disse, não precisa ter cuidado comigo, pode ser malvado agora meu menino mau, e eu tinha quinze anos e meu destino foi traçado ali porque a camisinha estourou e também porque eu nunca deixei de pensar nesses termos quando estava com Ana Paula, Carolina e Simone. Eu me acostumei a aplicar castigos imaginários a Ana Paula, Carolina e Simone, a receber provocações imaginárias delas enquanto no plano da realidade eu estava apenas cumprindo o ritual convencional das posições e gemidos, das demonstrações de carinho e autoridade delicada de um relacionamento heterossexual civilizado e adulto. Com Teca não foi muito diferente, porque é óbvio que nunca tive coragem de expor nenhuma fantasia em voz alta, ainda mais fantasias de objetificação, dominação e violência. A falta de ânimo dela para ouvir esse tipo de coisa era evidente, e você percebe isso em pouco tempo, porque não é difícil fazer pequenos testes e receber respostas que indicam o que atrai ou causa repulsa na outra pessoa, mas eu estava tão acostumado a esconder esse lado da minha personalidade que manter uma atividade heterossexual igualitária e moderada com Teca não chegou a ser um problema. Não foi por causa disso que meu casamento terminou, repito, porque ter fantasias secretas e pensar nelas durante as atividades heterossexuais igualitárias e moderadas é uma forma menor e inofensiva de hipocrisia, da qual é possível extrair um prazer que imagino não ser muito diverso do que há na imensa maioria dos casamentos, na imensa maioria das relações constantes ou eventuais, mas quando descobri que Dani poderia ir além disso as coisas tomaram outro rumo.

Dani tem apenas vinte anos, mas nunca conheci uma pessoa tão desinibida. A desinibição dela colaborou para que se definisse a sorte de todos no tribunal. Quando ela falava da mãe cabeleireira, ou da ambição da redatora-júnior que escolheu a publicidade para ganhar dinheiro, ou do papel que eu estava fazendo ao aceitar ser explorado e depois arruinado pela namorada duas décadas mais nova, eu e meu cabelo grisalho, minha barriga, minha pele que começa a ficar flácida, um pedaço de carne a caminho do abatedouro onde terei o que mereço por conta das leis da gravidade, da biologia e da época em que nascemos e vamos morrer, eu passei a ter uma experiência inédita: a história da esposa e do motorista ganhando versões infinitas segundo a imaginação inesgotável de Dani, o professor e a aluna, o guarda e a prisioneira, um catálogo de provocações e punições que só estava esperando por uma sugestão para ser ativado, os papéis de vítima e algoz se invertendo e confundindo até transformarmos a humilhação, a degradação e a agressão mútua em algo muito mais profundo do que consegui viver com qualquer outra mulher.

46.

Entre a ida ao bar do balcão colorido e a separação de Teca, foram cerca de sete meses. Um período em que havia um acordo com Dani: ela sabia da situação no meu casamento, eu não interferi na vida de solteira dela. Aos vinte anos, no sexto semestre da faculdade, eu não poderia evitar que Dani fizesse o que bem entendesse, o que incluía farto material para as provocações que passaram a incluir os bares aonde eu não ia, as festas onde minha presença denunciaria um caso que então era melhor manter em segredo, e nesses lugares há bebida, pó, MDMA e o que mais for preciso, e todos dançam e se tocam e estão em comunhão com a alma e o corpo de pessoas tão jovens e diferentes.

Uma das amigas de Dani se chama Fernanda. O nome de um ex-namorado é Alexandre. Eu não pude evitar olhar as páginas dos dois nas redes sociais: as fotos, as opiniões, o modo como ambos se expressam e o tipo de reação que conseguem de pessoas que têm a idade, os interesses e as referências de Dani. Fernanda estuda relações públicas. Alexandre está no último semestre de direito. Há também um certo Kiko, uma certa Naná, e Dani falava de todos eles ao me encontrar no motel às três ou cinco da manhã, com a roupa amassada e o batom fora do lugar, eu tendo ido para lá no início da noite dizendo para Teca que estava numa viagem de trabalho.

Uma vez criei um comercial de TV sobre o Dia dos Namorados, um casal numa praça cheia de balanços e escorregadores, o narrador explicando que o futuro é feito de decisões muito simples, com quem você quer conversar pelo resto da vida, com quem quer dividir seus sonhos e aflições, para quem quer ano após ano dar os presentes que oferecemos em nossa joalheria ou butique de chocolates, e por trás de cada item está subentendido que alguém apaixonado é incapaz de fazer as perguntas que realmente importam. Diante do poder que Dani exercia sobre mim, eu não conseguiria perguntar se é possível alguém de vinte anos ficar com alguém de quarenta e três numa perspectiva mais estável. Ou alguém de quarenta e três não enxergar o preço que uma situação dessas pode cobrar logo adiante. Eu sempre tive consciência de que meu papel no tribunal está próximo não de um clichê pornográfico, nem do clichê do marido dos anos 1950 que explica à amante que não pode abandonar a esposa chamada dona Santinha porque ela sofre dos nervos, mas de outra situação clássica: o homem de meia-idade a um passo de comprar uma moto, usar rabo de cavalo ou camisas de gola rulê para compensar a humilhação física, afetiva e existencial, a tentativa de disfarçar um futuro ridículo embalado pela nostalgia do que só poderia resultar em abandono.

47.

Remetente: eu. Destinatário: Walter. Data: 2/2/2016. Trecho da mensagem: Há boas chances de me apaixonar pela vítima redatora-júnior.

48.

Quando enviei o mais desastroso dos e-mails a Walter, invocando uma preferência que ele sabia que eu tinha e eu não sabia ainda que Dani poderia ter, ainda era impossível enxergar a minha então futura namorada para além de qualquer caracterização ligeira. Paulistana. Pai ausente. Série de TV: *Game of Thrones*. Prato preferido: estrogonofe. Mas logo ficou claro que ela não apenas enxergava a ironia da nossa condição, fazendo as devidas piadas sobre as diferenças de idade, condição financeira e expectativas, como sabia o quanto era fácil sair do ambiente consensual das conversas íntimas e do que fazíamos entre quatro paredes e transformar essas questões todas num destino concreto para os dois. Ou seja, se transformar naquilo que por enquanto ela apenas brincava de ser: a mulher cuja função é destruir a minha vida. Não como Teca está tentando destruir, mas de forma não voluntária, como causa passiva de tudo ter tomado a dimensão que tomou.

49.

Remetente: eu. Destinatário: Walter. Data: 10/2/2016. Trecho da mensagem: Acho que para me apaixonar de vez e ser correspondido só falta disciplinar a redatora-júnior.

50.

Remetente: eu. Destinatário: Walter. Data: 10/2/2016. Trecho da mensagem: Uma disciplina adequada começa com uma boa surra de cinto.

51.

Além de um arrombado que incentiva outro arrombado a contaminar inocentes, e de um chefe que usa seu cargo para seduzir a redatora prostituta, e de um homem que perpetua a injustiça de gênero em nossa sociedade patriarcal, por causa da mensagem de 10/2/2016 virei também o equivalente a um agressor enquadrado na Lei Maria da Penha. Nos quatro dias que se passaram desde o último domingo, em minha faceta pública definida a partir do telefonema de Teca, da escolha dela de mandar as mensagens para quem as vazou e colheu as devidas reações de uma multidão acima de qualquer pecado, virei o equivalente a um marido que joga óleo quente no rosto da esposa. Nesse sentido, o José Victor pós-telefonema de Teca pode olhar para o José Victor pré-telefonema de Teca com um pouco de pena. Mal sabe você sobre o que o espera, querido eu de quatro dias atrás. Nada do que você pense, diga ou faça mudará coisa alguma. A violência consensual evocada por você como simbolismo erótico num e-mail, sinto informar, será transformada em violência unilateral praticada no mundo concreto. A piada virará fato, o personagem virará uma pessoa de carne e osso e você será visto como alguém que cumpre literalmente as próprias bravatas.

Remetente: amiga de Teca. Destinatário: eu. Trecho: Me arrependo de não ter dito para a minha amiga na época. Eu já desconfiava de você [...]. *Eu vou dedicar a minha vida a dizer para todo mundo quem você é seu misógino.*

Remetente: conhecida de amiga de amiga de uma conhecida de Teca. Destinatário: eu. Trecho: Por mim botavam você na cadeia e castravam [...]. *Eu sempre soube quem você é seu misógino enrustido.*

Remetente: anônimo. Destinatário: eu. Trecho: Quero ouvir as piadas e risos quando os presos estuprarem você [...]. *Se não fizerem isso eu mesma me encarrego do que precisa ser feito* [...]. *Se liga porque eu ando com uma tesoura afiada na bolsa seu misógino enrustido seu porco.*

Minha presença no tribunal significa também um julgamento público do meu gosto misógino, enrustido e porco, algo familiar para quem está fora da segurança do relacionamento transparente e limpo da monogamia heterossexual igualitária. Nesse sentido, é inevitável relacionar a minha condição com a de Walter: você dá bom-dia para o padeiro, ou para a caixa do supermercado, ou para o seu chefe ou para a sua mãe, sabendo que basta eles acessarem o Google para descobrir se você frequentou ou não a sauna Moustache's, se aplicou ou não a disciplina do cinto na redatora-júnior, e se nesse ritual eu também evoquei o poder que um homem exerce sobre uma mulher, que um diretor de criação exerce sobre a filha da cabeleireira, que todos os opressores ao longo da história da humanidade exerceram sobre os oprimidos, e o mundo inteiro se sente autorizado a opinar se aquilo pode ou não ser chamado de amor. Se minha imagem será a pior possível daqui para a frente, também é por causa da vergonha que esses acusadores pensam que sou obrigado a sentir.

Desculpem os presentes no tribunal, mas é impossível seguir fazendo a minha defesa sem voltar ao tema da hipocrisia. Eu não gosto de cumprir este papel, assim como ninguém dirá que gosta, mas não há alternativa além de enfrentar aquela que iniciou a cascata de acusações. Teca disse o que quis até agora, fez o que fez motivada pelo que escolheu alegar, então está na hora de testar a autoridade que ela afirma ter. A parte desta história que interessa começa no puteiro da praça da República, eu com quinze anos, e episódios de toda a vida de Walter são contados, assim como episódios envolvendo Dani, um passado coletivo que ajuda a explicar por que todos acabamos aqui, então não faria sentido deixarmos de nos debruçar também sobre a biografia da minha ex-mulher. Porque as encrencas de verdade tendem a vir de coisas que nunca passaram pela nossa cabeça. Pode-se escapar de uma época, mas não de todas as épocas. O sol está a pino, querida Teca, e você esqueceu de passar filtro, e não há ninguém na areia, no mar, em casa ou em lugar algum para ajudá-la.

52.

Teca namorou um colega durante a faculdade. Namorou outro colega durante o mestrado em Paris. Também um mexicano com quem viajou pela Europa no final da temporada francesa: os dois foram ao sul da Itália, conheceram a costa amalfitana depois de fazer pequenos trechos de trem e dormir em vilarejos muito simpáticos da Toscana, onde se toma vinho da casa e se come espaguete entre limoeiros e estações termais descobertas pelos etruscos, e se vai à igreja local ver os afrescos usando sandálias de couro sob o céu azul, e na volta a São Paulo aquelas cenas passaram a integrar as conversas de Teca com seus amigos arquitetos e artistas, repetidas também na varanda da casa de praia do sr. Teco pai e da sra. Teca mãe, a nostalgia carinhosa nas evocações que ajudaram a experiência que desembocou no casamento comigo.

Teca também namorou: 1) um colega de colégio; 2) um rapaz que desenhava móveis charmosos; 3) um acordeonista que tocava clássicos charmosos da *chanson* uma vez por semana num pequeno bar da Santa Cecília. Eu não sei detalhes do desenlace desses relacionamentos. Não sei se Teca deu ou tomou um pé na bunda em cada um dos casos. Se ela ou o ex-namorado em questão aceitaram esse pé na bunda pacificamente, e se com algum deles ela voltou a falar anos depois do ocorrido, de forma cordial e distante ou com o resquício da ternura de duas pessoas que se respeitam mesmo tendo seguido rumos diferentes. Há muita coisa que não se sabe num casamento, e Teca omitiu passagens que eu talvez não achasse muito promissoras. Se algum dia ela se vingou de um ex-namorado, por exemplo. Se expôs alguma intimidade dele em público. E se na varanda do sr. Teco pai e da sra. Teca mãe, e entre os amigos do casal e os amigos da filha, sem contar o círculo de conhecidos da família na cidade de São Paulo e no resto do país e do mundo, alguém pensou que Teca seria capaz de cometer um mal irremediável por ação ou omissão.

Em quatro anos morando junto com Teca, eu nunca fiquei de cama mais do que dois ou três dias. Eu tive apenas gripes, nenhum ataque de pânico, nenhum desmaio no meio da rua que me fizesse acordar com um tubo de soro na veia e minha ex-mulher ao lado depois de ter sido chamada às pressas. No máximo, Teca fez sopa para mim. No máximo, fez carinho enquanto eu dormia com a respiração dificultada pela bronquite. Eu cuidei dela da mesma forma, e é tão fácil ter cumplicidade quando se trata apenas de cansaço depois do trabalho ou de um pouco de febre numa tarde fria e úmida em que o mundo lá fora deixa de importar. Eu ensinei coisas para Teca, e ela ensinou para mim. Eu ouvi as queixas dela, e ela ouviu as minhas. Eu comprei ração e passeei com o cachorro, e ela fez isso tantas vezes quanto eu. Eu não a traí nenhuma vez até conhecer Dani, e não tenho por que achar que ela tenha feito isso comigo no mesmo período, os anos de casamento ainda não ameaçados pela bagagem passada e futura de cada um, os dois suficientemente sinceros para o que exigia aquele intervalo de ilusão, e o que Teca também não ficou sabendo a meu respeito equivaleria ao que não fiquei sabendo dela se esta história terminasse um minuto antes do telefonema do último domingo.

53.

A forma como Teca se dirigiu a mim no último domingo antecipou a forma como as amigas dela e as demais pessoas se manifestariam sobre o caso. A diferença é que minha ex-mulher foi mais firme e elegante. Afinal, ela sempre terá mais classe do que comentadores de internet. Ela nunca usará a palavra *enrustido*, a palavra *porco*, e nunca escreveria nada como o que escrevi para Walter, e sempre terá atenuantes que não me foram concedidas neste caso. Temos de entender a situação em que ela estava. Dar um desconto para o susto que ela tomou ao entrar na minha caixa postal. Lembrar que até aquele momento ela não sabia sobre Dani, ao menos nos termos descritos nas mensagens, e o que até ali podia ser uma desconfiança agora tinha ficha com nome, datas e demais detalhes da minha traição.

Dá para dividir o telefonema do domingo em duas partes. A primeira foi encerrada como uma briga conjugal tardia: Teca dizendo que nunca suportou minha empáfia, minha profissão, o jeito como me visto, meu egoísmo e rabugice e falta de vontade de entender qualquer coisa além do pequeno universo que me interessa, além da vulgaridade previsível que compra uma namorada que poderia ser a minha filha. Teca agradeceu por eu ter acabado o casamento quando ela tinha quarenta e três anos: se a minha covardia tivesse mantido por mais tempo a farsa, ela poderia estar com quarenta e oito ou cinquenta e seis. Se tivéssemos tido filhos, ela teria que lidar comigo pelo resto dos tempos. Eu já gastei uma parte grande da vida ao seu lado, ela falou, pelo menos você não estendeu esse sofrimento. Muito obrigada por ser pusilânime. Obrigada por ser falso e... fútil. Obrigada por ser vaidoso e... infantil. E eu poderia seguir com os adjetivos compostos e pausados proferidos do outro lado da linha, *manipulador... compulsivo, analfabeto... emocional*, até eu perceber que aquilo ia além de uma simples agressão contra mim.

Hoje é quinta-feira, e na retrospectiva dos últimos quatro dias o que me afetou de verdade não foi essa agressão inicial, nem a vingança pública e ruidosa promovida por Teca na sequência. Ou foi tudo isso, mas numa dimensão menos imediata do que o modo como ocorreu a segunda parte do telefonema — uma voz ainda convicta, minha ex-mulher começando a reagir de forma catastrófica ao baque emocional que teve, mas agora em outro tom. Eu não deveria procurar você, Teca disse, mas eu não podia deixar de fazer isso. Você nunca acreditará, mas esta não é uma questão pessoal. Você nem merece que eu me preocupe com você a esse ponto. O seu amiguinho não merece. Essa criança que você comprou não merece. Pobres de todos vocês. Ninguém de vocês merece que eu derrame uma lágrima. Esta é a última vez que falamos, e pena que tudo tenha terminado assim. Um toque final de... tristeza, como se não bastasse todo o resto. Que tristeza você ter um dia cruzado o meu caminho. Tristeza para mim, tristeza para você, mas o que se vai fazer a esta altura?

[...]

Não dá para voltar atrás nessas coisas.

[…]

Infelizmente não dá.

[…]

Alô? Você está ouvindo ainda?

Um casamento, de fato, sempre inclui a bagagem futura e passada de cada um. A futura quem trouxe fui eu: o desejo que morreria alguns anos depois de conhecer Teca, a conversa que eu teria com Dani em frente à máquina de água, o momento em que eu perceberia que estava apaixonado novamente e, enfim, a minha saída de casa. Já a bagagem do passado esteve o tempo todo com minha ex-mulher, e foi só no final do telefonema de domingo que tive a extensão correta dessa... herança. Foi quando me obriguei a pensar numa biografia que incluía também um... segredo. E eu soube que antes de sermos apresentados (Teca levanta do banco da promotoria e vem em minha direção), e começarmos a namorar (eu me ajeito no banquinho de réu para dar lugar a ela), e passarmos quatro anos casados e consolidando fisicamente essa união (entre os réus pode haver amor ou ódio, respeito ou desprezo, e é inevitável que os afetos mudem o resultado final deste espetáculo jurídico, científico, histórico, moral e circense), antes de tudo isso minha ex-mulher trepou com Walter.

QUINTA-FEIRA

54.

Do José Victor de 2016 ao José Victor prestes a mergulhar na piscina da Associação Atlética Oswaldo Cruz, 1988, e ir ao puteiro na praça da República:

— Boa tarde.

— Como vai você? O que tem feito de bom?

— Eu tenho feito muitas coisas, tanto boas quanto ruins, mas não sei se cabe falar disso neste momento. Eu poderia pedir para você evitar certos lugares, certas decisões, e há pessoas que eu preferia que você não conhecesse ou com quem você talvez não devesse se envolver, mas se você não fizer isso tudo eu deixo de ser quem sou.

— Gosto do que sou? Consigo pensar como outro? Esse tipo de pergunta é mais comum na sua idade do que aos quarenta e três, mas em muitos aspectos nada mudou no tempo que nos separa: temos algumas das mesmas preferências, experimentamos as mesmas reações diante de certos estímulos. Você já deve ter percebido que somos prisioneiros dessas sensações, uma forma um pouco mais ingênua de dizer que somos prisioneiros do corpo: nossa aparência, o número de horas de sono de que precisamos, nossa propensão biológica e comportamental para nos mantermos saudáveis ou não ao longo das décadas.

— Por exemplo, esta piscina onde você entrará. Água gelada, posso garantir. Isso é bom, ativa a circulação.

— Até hoje gostamos de nadar nessa temperatura. Também gostamos de correr (nunca torcemos o tornozelo), jogar futebol (nunca rompemos os ligamentos do joelho, nunca tomamos uma cotovelada que afundou nosso malar e demandou uma cirurgia), até andar de skate (nunca batemos a cabeça e fomos levados em coma para o hospital e lá tivemos uma sepse que nos deixou sequelados). Não só nos mantivemos inteiros e saudáveis até 2016, tenho o prazer de anunciar, mas também concluímos a escola, fizemos faculdade, arrumamos emprego, fomos até que bem-sucedidos em nossa profissão, casamos, nos separamos, talvez um dia nos casemos de novo.

— (Embora este hipotético segundo casamento ainda dependa de uma pequena questão, você entenderá quando chegar a hora.)

— Eu gostaria de ter lembranças um pouco melhores do dia em que você está. Mas a memória é um negócio incontrolável, acho que você já percebeu, e o que temos a fazer é enchê-la de dados e esperar que ela decida os mais importantes quase três décadas depois. Eu não lembro da toalha que você usará ao sair da piscina: a cor, se ela é felpuda e tem costura nas bordas. Eu não poderia discorrer sobre as paredes do vestiário, o piso na saída do clube, sei que logo começará a anoitecer e o caminho até a portaria se tornará fosco. Há um funcionário cuidando da roleta? Nós temos carteirinha? A carteirinha tem foto?

— Não lembro de nada disso, mas ainda sou capaz de evocar o ponto de ônibus, as lojas e lanchonetes do outro lado da calçada, as pessoas voltando para casa num início de noite em 1988.

Tudo é tão intenso quando se está vivo, e às vezes se enxerga a beleza em momentos que você nem espera: mesmo quando estamos na sua situação, prestes a passar pelo que você passará nas próximas horas e dias, ou na minha situação nesta manhã de 2016. É uma manhã de sol aqui. A máxima temperatura prevista é de vinte e cinco graus. Vejo as ruas da janela de um táxi, não muito distante da esquina que seu ônibus vai virar antes de chegar até você. Artur de Azevedo, Henrique Schaumann, avenida Brasil: a cidade e o mundo que mudaram e no fundo são os mesmos, e acredite que passamos estas três décadas com a certeza de que jamais faríamos o que acabei de fazer.

55.

Comecei a me sentir habilitado a isso quando conversei com Teca no último domingo. Está fazendo quatro dias agora. O que para ela foi outra das descobertas chocantes trazidas pelas mensagens, a de que Walter é portador do vírus da a-i-de-esse, ou da A.I.D.S./S.I.D.A., um *soropositivo* como se prefere dizer hoje, termo ainda mais correto na busca por tirar um pouco da gravidade da situação, ao menos para quem não está diretamente envolvido nela, para mim foi o início de um pesadelo. Teca transformou o choque em sentimento de injustiça, e a injustiça em autopiedade, e a autopiedade numa convicção suficientemente fria para ordenar a vingança do modo mais certeiro e eficiente, e não há combustível mais explosivo do que essa mistura: a vítima que foi traída e me ligou porque era a coisa certa a fazer. A heroína que precisava ter as mãos limpas antes de iniciar sua cruzada. A justiça como deve ser a cada etapa: antes de tentar me destruir em público, Teca precisava me dar um aviso em privado. Até então, a história dela com Walter era um segredo que tinha ficado para trás. Um episódio único e sem importância, acontecido em 2009, um ano antes de eu ser apresentado a ela no jantar das estantes, e Teca pediu que Walter também não comentasse na época porque eu poderia ficar constrangido ou com ciúmes.

Um julgamento começa de muitas formas, e uma delas é imaginar uma cena ocorrida numa sala refrigerada, onde há um cliente que passa o briefing de um empreendimento imobiliário. O empreendimento contempla escritórios, hotel, centro de eventos e área de lazer. Trata-se de um projeto do escritório do casal Teco pai e Teca mãe, que conta com a coordenação da filha arquiteta então solteira, incluindo remoções e desmatamento compensados por ações de sustentabilidade e respeito à demografia, e Walter escuta o briefing e se prepara para transformar o conjunto numa série de anúncios sustentáveis e respeitosos. Na saída da reunião a arquiteta solteira oferece uma carona, e durante o meu casamento essa era a versão que eu tinha sobre o início da amizade dos dois. Nessa versão, evidentemente, não estava incluído o fato de que durante a carona um deles comentou a música que tocava na rádio, ou perguntou o que o outro fazia nas horas livres, ou o estado civil do outro, e a sequência de aproximações verbais aludindo à possibilidade de aproximações de outra ordem acabou se transformando naquilo que nos trouxe aqui.

É claro que Teca não sabia tudo sobre Walter quando ofereceu aquela carona. Não estou falando da orientação sexual dele, porque ele não escondeu isso de ninguém desde a época da faculdade, e sim do que estava além da aparência de um publicitário capaz de interagir com a sociedade sem usar o vocabulário dos e-mails — o futuro *amigo homoafetivo* que no presente demonstrou interesse o bastante por Teca, e o interesse foi recíproco porque ele era um homem como eu fui mais tarde diante dela, a mesma profissão, mais ou menos o mesmo tipo físico e intelectual, então não é absurdo que numa única noite de 2009 duas visões de mundo tão opostas tenham entrado em sintonia. O charme do Walter que não falava sobre merda, testículos de office boy ou a contaminação intencional dos outros e de si mesmo foi usado num bar, numa exposição de arte, numa palestra ou onde quer que minha ex-mulher o tenha levado. Ele se vestiu para isso. Ajeitou o cabelo. Apanhou a carteira e o celular antes de sair de casa. Ouviu o que Teca tinha a dizer e respondeu da forma como achou que iria agradar, e em algum momento um dos dois encostou no outro já sabendo o que aconteceria, e mais uma vez saltamos os protocolos e vamos direto à sequência ocorrida num sofá, numa cama ou num banheiro, em qualquer dos casos sem usar camisinha, foi o que Teca me contou no último domingo, e é aí que deixo de ser apenas réu por causa das perguntas que também me tornam promotor e juiz: o que eu teria feito se soubesse de tudo antes? O que eu faria se Walter me apresentasse Teca não como a mulher bonita, inteligente e solteira que eu iria gostar de conhecer, mas como a mulher com quem ele tinha vivido a situação que eu viveria no final do jantar das estantes? Eu teria me oposto quando Teca subiu em cima de mim no sofá e disse, só um pouquinho, vai, a gente precisa ver se funciona, é tão bom o toque direto da pele, vem junto comigo agora, e entre os meus argumentos de recusa eu teria dito a ela, desculpe, mas preciso saber se você disse isso para o meu amigo, especialmente porque sabemos da homoafetividade dele?

56.

Se o que Teca relatou aconteceu em 2009, e se eu não sei
a data exata da viagem que Walter fez ao Rio para encontrar o
sujeito que morreu de pneumonia, qual dos dois episódios aconteceu antes?

57.

Walter disse que a viagem pode ter acontecido em 2010, 2009 ou 2008, e eu não perguntei mais nada no almoço do caranguejo porque não fazia sentido esmiuçar esse tipo de detalhe àquela altura, então como ter certeza da sequência correta dos eventos?

58.

Como ter certeza de que Walter sabe como se tornou soro-positivo? O que impediria de nem ter sido no Rio de Janeiro? Se ele não se protegeu com Teca, é possível que tenha agido assim em outras ocasiões, algumas anteriores a isso? E é possível que ele é que tenha contaminado o sujeito do Rio, e tenha ficado assintomático enquanto o sujeito do Rio teve outro destino, e Teca teve outro destino, e eu tive um destino igualmente possível ao conhecer, namorar e casar com ela nos anos seguintes?

59.

Nas últimas quatro noites, algumas sentenças do julgamento se formaram a partir dessas respostas. Nem sempre é fácil traduzir sentimentos nos limites estreitos da linguagem, a abstração representada por palavras vazias como *perplexidade* e *angústia*, e por mais que você diga a si mesmo que não quer cumprir este papel é impossível não se flagrar pensando sobre comportamento, porque é inevitável atribuir sentido moral a qualquer ato humano que não seja abrir os olhos pela manhã. Nas últimas quatro décadas eu marquei consultas médicas quando estava tossindo e desconfiava de um linfoma (fiz chapas do tórax e das maçãs da face, era sinusite), com dor reiterada no abdome (fiz uma endoscopia, e o tumor virou gastrite associada à bactéria *H. pylori*), com dificuldade de engolir (um exame local, placas de infecção esbranquiçadas, antibiótico por sete dias), mas vir até aqui nesta quinta-feira envolveu outro tipo de escolha.

Desde o telefonema de Teca eu sabia que precisava fazê-la. Eu sentei no banco de trás do táxi. O táxi percorreu a Artur de Azevedo, a Henrique Schaumann, a avenida Brasil, e três décadas de medo e negação se transformaram num cenário de clichê: as luvas brancas, os cartazes com uma cruz vermelha e avisos sobre campanhas de vacinação. Tudo poderia remeter aos tempos em que eu era atormentado por relatos de furos em camisinhas, de seringas escondidas em poltronas de cinema, de projeções em que a população da Terra se extinguiria na velocidade de propagação de um vírus mutante e imbatível, mas o clichê rebaixa a memória a uma banalidade prática. Eu esperei no hall. Uma TV estava ligada no mudo. Uma campainha tocou, e o número da minha senha apareceu no painel eletrônico. Levantei, mostrei o RG para uma funcionária, preenchi o termo de ciência requerido pelo Ministério da Saúde.

Já dentro do cubículo, a enfermeira me pediu para arregaçar a manga. Perguntou se eu prefiro o braço direito ou o esquerdo. Minha pele foi limpa com álcool. Senti o pique, a ardência e a pressão. Ali estava minha veia azulada de réu, promotor e juiz, minhas plaquetas, glóbulos brancos, os anticorpos que aparecerão ou não quando forem testados numa lâmina sob um microscópio numa das outras salas do edifício, que então retomará suas funções de medir glicose e triglicérides, colesterol bom e ruim, sinusite e mononucleose, mal de Chagas e intolerância a glúten.

60.

Minha decisão de fazer o exame teve várias etapas. Uma delas foi visitar um médico do plano de saúde. Ele assinou uma requisição com carimbo e data. Em 2016 é possível ter o resultado em vinte minutos, basta tirar uma gota de sangue do dedo num posto do SUS em que uma assistente treinada o recebe e tem obrigação de dar uma aula sobre fluidos e mucosas, o fluxo da vida e as portas de entrada para a morte, como se você tivesse dormido em 1981 e acordado agora e alguém precisasse recorrer a essa ladainha mais uma vez, mas preferi vir a um laboratório privado e fazer de outro modo: sem precisar conversar com ninguém, sem ninguém para me oferecer consolo ou dizer qualquer coisa quando o resultado sair duas horas depois, eu já em casa.

Passei o dia de ontem olhando para a requisição. Nos últimos quatro dias, foi como se eu de novo tivesse quinze anos. Segunda à tarde tive duas reuniões longas na agência, o último turno de trabalho em que pude agir como se o telefonema de Teca não tivesse existido. Por volta das seis e meia, recebi o primeiro dos e-mails revoltados. No início da noite, fui até o apartamento de Walter. Teca não ligou para ele como fez comigo, nem ele sabia do princípio de vazamento até então restrito ao que me pareceu um círculo de amigas da minha ex-mulher, por isso eu me encarreguei de avisá-lo.

O apartamento de Walter é grande. Ele perguntou se eu estava com fome. Não consigo citar nenhum detalhe importante da comida, da decoração, da roupa que ele estava usando, nada que me distraísse do estado reiterativo em que eu havia mergulhado. Eu lamentei muitas vezes a senha esquecida, a falta de privacidade trazida pela tecnologia, um pedido de desculpas por não ter protegido um material que também dizia respeito à vida íntima do meu amigo, mas isso era nada perto do que eu poderia dizer se fosse até o fim no assunto que havia me levado até lá. Talvez Walter pedisse desculpas também se eu mencionasse a história dele com Teca, uma pequena recaída quando ele praticamente já não saía com mulheres, um episódio que ele havia esquecido ou achou que causaria problemas para o meu casamento se fosse revelado na época, mas talvez fosse o contrário e ele não entendesse o motivo da minha cobrança tantos anos depois. Afinal, seria ridículo eu alegar que estou com ciúmes da mulher que abandonei. Ou alegar que Walter tinha obrigação de me contar a totalidade da sua vida sentimental desde Bariri. Ou passar um sermão sobre os perigos da vida sentimental para alguém com a biografia dele, ou com a biografia dos ex-namorados dele, Edson, Nuno, Paulo, João Guilherme e qualquer sobrevivente dos anos 1980 e 1990, sem contar o sujeito do Rio e todos os frequentadores da sauna Moustache's.

61.

A época em que Walter conheceu Teca é mais ou menos a época em que ele frequentou a sauna Moustache's, e talvez não fosse absurdo imaginar que a versão de que ele sempre se protegeu ali possa conter uma lacuna. Talvez não fosse absurdo eu fazer em relação às mensagens de Walter o que Teca havia feito: interpretar literalmente o que é narrado nelas, imaginar estas e tantas outras cenas e assim terminar de redigir a condenação. Meu amigo enrolado numa toalha, caminhando rumo a um dos chuveiros da sauna. Meu amigo sem toalha nem roupa alguma num apartamento do Rio. Meu amigo ao lado de Edson, Nuno, Paulo, João Guilherme, alguém que se protege porque não é ignorante, idiota ou suicida, mas em alguma dessas ocasiões há um problema com a borracha, ou uma recusa a usar a borracha, algo que você faz e depois não lembra ou prefere não lembrar porque tudo é tão rápido e você bebeu e cheirou ou achou que estava apaixonado, e então você sente o contato direto da pele com a outra pele, só um pouquinho, vai, a gente precisa ver se funciona, e num dia anterior a 2009 Walter diz para alguém cujo nome passa a ser de minha alçada como promotor e juiz: é tão bom, não para, vem comigo agora, eu quero morrer junto com você.

A conversa de segunda-feira não teve nenhuma piada. Você pode escapar de uma época, mas não de todas as épocas: a sorte mais uma vez tinha se posto no caminho de Walter, e além do que ele enfrentaria quando nossa correspondência fosse enfim publicada, cada conhecido tendo a chance de ler o que ele escreveu, incluindo o pai e a mãe em Bariri, o médico que cuida dele, os colegas da agência onde ele trabalha, os amigos, os amigos soropositivos, as famílias dos amigos soropositivos e as famílias dos amigos soropositivos que morreram, incluindo aquelas que Walter ajudou e com quem manteve contato eventual depois desse fim longo, doloroso e que nunca foi esquecido, além disso tudo ele precisou enfrentar o meu silêncio de promotor e juiz enquanto o observava ao longo do jantar. Houve um momento em que só se ouvia o barulho dos talheres, dos goles, e ali estava eu reparando no aspecto físico de Walter: a saúde de quem nunca apresentou um sintoma ou se queixou de efeitos colaterais dos remédios. Hoje os remédios são menos tóxicos do que no passado. O tratamento pode se reduzir a três pílulas por dia. A expectativa de vida de um infectado pode ser a mesma de um não infectado caso a resposta do corpo seja a esperada. O mundo mudou para quem tem a genética de Walter, a disciplina que ele demonstrou desde que recebeu o diagnóstico, meu amigo que nunca mais bebeu, nunca mais cheirou, talvez nem café ele tenha tomado mais, a carga viral zerada e os melhores horários para dormir, acordar, fazer exercício se você tiver disposição, meditar se isso fizer bem para você, e toda vez que você trepar a informação sobre o que aconteceu e pode acontecer se você não seguir cuidando dos outros e de si mesmo estará presente e devidamente compartilhada.

62.

O jantar na casa de Walter durou menos de uma hora. Eu observei o modo como ele mastiga, como se limpa com o guardanapo, a pessoa que pode fazer a minha vida virar um regime disciplinar estrito daqui para a frente. Ou eu ter a experiência oposta e não me adaptar a esse regime por preguiça, tristeza ou algo que me faça não reagir ou criar resistência aos remédios, e então seria natural alguém na minha condição fazer com Walter o que ele nunca fez com o sujeito que morreu no Rio, com os frequentadores da sauna Moustache's, com Edson, Nuno, Paulo, João Guilherme ou quem quer que estivesse na origem do estado de saúde atual dele — meu amigo que nunca falou em culpa, nunca se sentiu injustiçado, nunca atribuiu aos outros uma escolha que foi e sempre é individual.

Em vinte e cinco anos de amizade, eu nunca fiz uma reprimenda ao comportamento de Walter, assim como ele jamais disse o que eu devia ou não devia fazer em relação ao que qualquer pessoa sabe desde 1981. Qual o grau de egoísmo e hipocrisia necessário para fazer isso apenas agora, por causa do telefonema de Teca? E se o laboratório disser que não há nada de errado comigo? A conduta de cada um muda retroativamente, em função do resultado do teste?

Antes de transformar a angústia em rancor, e de me entregar ao moralismo punitivo como todos no tribunal, fazendo com Walter o que lamento estarem fazendo comigo, talvez fosse melhor me concentrar nas certezas concretas deste caso. E lembrar que o que está em julgamento são os e-mails vazados. E registrar mais uma vez que não são tantas mensagens assim, basta contá-las, dezoito escolhas de Teca entre centenas ou milhares de textos sobre os mais variados assuntos, usando os mais variados registros de comédia, drama e tragédia entre dois amigos que sabem e não sabem tudo um do outro. *Dezoito mensagens*: nove minhas, nove de Walter. *Nove mensagens*: é a isso que se resumem as provas apresentadas contra Walter, considerando que os textos também fazem piadas com Cazuza e Caio Fernando Abreu, com a merda no banheiro do shopping, então nem são nove episódios diferentes de inversão, pederastia, troca-troca, chuca, o réu usando ou não proteção, estando ou não apaixonado, pensando ou não em quem cruzará o seu caminho de um modo ou outro daqui por diante.

63.

Se são apenas nove mensagens controversas de Walter, e se além disso ele teve três ou quatro namoros, três ou quatro ilusões como a do Rio, é preciso admitir que esses números não são tão extravagantes assim. Não são tão diferentes dos de qualquer adulto depois de 1981. Teca e eu tivemos uma quantidade semelhante de parceiros no período em que éramos solteiros, boa parte sem usar camisinha, ou vendo a camisinha arrebentar e indo até o fim apesar disso, a mesma fatalidade se quisermos chamar assim, a mesma irresponsabilidade se a plateia assim preferir, a mesma compulsão e autopunição dos minutos ou segundos em que você é ou não é capaz de decidir se quer ou não experimentar ou seguir com o contato direto da pele com a pele, estando ou não apaixonado por alguém que sabe ou não sabe nada sobre você, mas condenar apenas o réu homoafetivo seria eximir os demais réus das consequências universais de suas condutas.

O réu homoafetivo podia desconfiar que estava infectado em 2009, mas talvez não tenha pensado ou tenha preferido não pensar nisso. A ré heteronormativa não sabia que Walter tinha algo de ignorante, idiota ou suicida, mas uma hipótese desse tipo nunca pode ser descartada. O réu, promotor e juiz José Victor está longe de ser uma criança, e desde a ida ao puteiro da praça da República estou ciente dessas hipóteses e consequências, então não posso transferir a Teca ou a Walter uma responsabilidade que também é minha. Minha ex-mulher e meu melhor amigo tiraram a roupa em algum dia de 2009, e a armadilha de imaginar essa cena é emprestar a ela um sentido retroativo e premonitório que tira dos envolvidos o direito de estar ali, fazendo o que bem entendessem e correndo os riscos que sabiam estar correndo, então o que me resta é assinar a sentença permitindo que um deles diga, só um pouquinho, vai, a gente precisa ver se funciona, é tão bom, vem comigo agora, eu quero morrer junto com todos os presentes no tribunal.

64.

Por outro lado, me dou o direito de assinar a sentença que me liberta de Teca. Nunca mais quero vê-la ou dar satisfação a ela. Não porque ela tenha trepado com Walter, ou ficado chocada ao descobrir que ele é soropositivo e talvez já fosse na época em que os dois se conheceram, ou porque ao mesmo tempo ela soube dos detalhes do meu caso com Dani, e isso é muito doloroso e é natural que ela me ligue e me acuse e passe o resto da vida coberta de razão em vários pontos que eu mesmo admito. Eu não desejo o mal gratuito a ninguém, e boa sorte à minha ex-mulher quando entrar no cubículo que acabo de deixar para trás, o algodão tapando a marca da agulha no meu braço direito, o sol lá fora, a minha imagem na porta espelhada da saída do laboratório, apenas não me obriguem a bater palmas para quem foi além do choque, da dor e das acusações por telefone: a escolha de apresentar em público uma versão selecionada, direcionada e não sujeita a contestação sobre o significado das mensagens. A escolha de dizer em público que Walter cometeu um crime na sauna Moustache's, e cometi um crime ao ouvir os relatos dele e não fazer nada a respeito, e fui ainda mais criminoso ao aplicar a omissão e crueldade a um caso de assédio e abuso de gênero.

Foi por causa de Teca que um dos sócios da agência me chamou no fim da tarde de terça. A essa altura, minha correspondência já tinha sido lida não só por uma dúzia de amigas da minha ex-mulher, mas por dezenas de pessoas que tiveram acesso a esse material então disponível apenas num circuito privado. O sócio me perguntou se eu estava ciente do cocô que estava rolando, e usou também as expressões *bosta, merda, cagalhão*, e disse que estava se lixando se um diretor come a redatora-júnior ou fuma crack e vira mendigo desde que siga fazendo o seu trabalho. Ou que um dos clientes não receba o dossiê com as mensagens. Ou que várias outras pessoas não o recebam, um mailing escolhido com rigor por Teca ou alguma das amigas dela, incluindo as esposas de todos os sócios da agência. A esposa do sócio que me chamou não gostou do que leu, evidentemente, e perguntou ao marido se é daquele modo que todos tratam as mulheres no trabalho, se ele também tem uma redatora-júnior comprada com a promessa de uma promoção, e o sócio riu para mim e disse, veja bem, todavia, no entanto, por outro lado eu lamento mas talvez seja preciso tomar uma atitude, estou segurando as pontas como posso mas você sabe que bosta de merda virou o cagalhão do mundo onde a gente vive, ninguém mais pode dizer nada porque essa patrulha de histéricas resolveu apontar o dedo para os outros em vez de ficar quieta chupando a salsicha da mãe sapatona delas.

No final do discurso, fui informado de que a situação era ainda mais grave por causa da compra iminente da agência pelo grupo Banfeld/McCoy. O grupo Banfeld/McCoy tem uma política de tolerância zero com o racismo, o sexismo, a homofobia e o adultério não igualitário, e os executivos de lá foram selecionados de acordo com uma nova governança de tom e sentido da fala, aliada a uma nova disciplina dos sintomas internos e externos do desejo, algo que impregnou não só a vida corporativa, mas também as artes, o jornalismo, as escolas e universidades, os partidos e instituições públicas, e é claro que a publicidade mastigou esse espírito e o devolveu na forma de mais produtos, ideias e comportamentos a serem consumidos e remunerados, então minha ex-mulher pode ter certeza de que saí do aquário do sócio já consciente da minha derrota: eu caminhei devagar entre as baias, duzentos e trinta funcionários que pareciam estar olhando para mim, as pessoas andando na avenida Berrini sem saber que na janela daquele décimo quarto andar há alguém que simboliza o que deve ser condenado e esquecido, o resumo de uma carreira forjada por valores que ficaram para trás na marcha da história e da cultura, um homem branco, de orientação afetiva patriarcal, com humor baseado na depreciação e objetificação de grupos discriminados ao longo dos séculos e milênios, cuja queda se tornou ainda mais patética quando o primeiro post sobre o caso foi publicado nas redes.

65.

Eu vi esse post já em casa, por volta das onze da noite de terça. Começou com a menção enigmática feita por uma amiga de Teca: *Aí você acorda e percebe que ainda vive na Idade Média, acabo de ler uma coisa que me fez perder um pouco da esperança que tenho*. Entre os comentários já havia alguém perguntando do que se trata, alguém dizendo pois é pensei o mesmo ao saber dessa história horrível, alguém dizendo que os responsáveis deveriam ser expostos e escrachados.

A madrugada de terça para quarta foi de terror. Eu bebi um pouco, cheirei um pouco de pó, tudo silencioso nos arredores do prédio, o que realça os sons eventuais de um carro, de um mendigo que fala sozinho. Eu procurei por mais referências ao caso, dando *refresh* sem parar no navegador, e pelas quatro ou cinco da manhã decidi que só havia uma atitude a tomar. Às oito eu liguei para o plano de saúde. Às dez eu estava no consultório do médico que indicaram como disponível para atendimento imediato. Eu esperei quase uma hora e meia pela consulta, e cheirei mais um pouco no banheiro porque precisava me manter acordado, e não sei que impressão o médico teve ao ver meu estado físico e emocional quando eu disse que estava com a saúde perfeita mas tinha vindo apenas para pedir um favor, bem, você sabe, é que eu andei me descuidando, e dali eu fui até a agência e participei de três reuniões seguidas, mais café, mais banheiro, mais discurso rápido e sem parar usando termos que mudam mas no fundo dizem o mesmo de sempre, minha despedida de um mundo que acabou enquanto seguia falando em *experience*, *storytelling*, *big data*, jornada do consumidor.

Por volta de sete e meia voltei a conferir as redes. Não foi um choque àquela altura, era previsível que o vazamento massivo seria uma questão de horas. Os boçais homofóbicos já haviam se manifestado. A secretária e o auxiliar administrativo já tinham dado sua opinião. A esquadra feminista já tinha entrado no debate. De certo modo eu até esperava os comentários desejando que eu fosse castrado, estuprado e morto, e isso me deu mais certeza ainda da minha decisão. Eu desliguei o computador e peguei o casaco. A agência estava mais quieta do que de costume. Eu caminhei sem olhar para quem me olhava, peguei o elevador, meu carro tem uma das vagas-sênior no primeiro piso do subsolo. Uma noite de quarta-feira pode ser a pior da sua vida, ou pode ter a aparência que sempre tem em São Paulo: o vermelho dos faróis, as palhetas do limpador de para-brisa, a mistura de exaustão e ansiedade que faz você querer que tudo termine logo não importa o tamanho da catástrofe. Eu não tinha ideia se Dani já havia lido algo, se alguém tinha enviado o link para ela ou se todos ainda seguravam o riso porque a redatora-júnior estava sendo crucificada diante da fome insaciável de todos eles, mas minha decisão já não dependia disso: às oito e quarenta e cinco eu enviei um e-mail para o sócio e a gerente de RH. Eu disse lamentar o incômodo causado. Que esperava que aquilo não respingasse em Dani. Que ela não fosse punida por algo de minha inteira responsabilidade. Eu disse que ela nunca havia feito nada de errado. Que as mensagens a Walter eram apenas bravatas de um idiota. Que seria injusto prejudicar a carreira de uma profissional tão dedicada e competente como ela. E que, numa decisão pensada e irrevogável, eu estava comunicando o meu desligamento da agência.

66.

Uma noite de quarta-feira pode ser a pior da sua vida. Ou você pode deixar o celular no mudo, apagar as luzes da casa, tomar dois comprimidos e pegar embalo na exaustão acumulada — o mergulho opaco no berço morno da inconsciência, um deslocamento de tempo e espaço em que o José Victor de 2016 também dá adeus ao que foi até aqui.

Nos próximos dias, escreverei para a secretária e o auxiliar administrativo. Responderei a todas as pessoas que fizeram comentários ou enviaram mensagens. Entrarei em vinte, duzentos posts sobre o assunto, e darei um *like* irônico como resposta a quem é incapaz de entender ironia. Não adiantará coisa alguma, tudo continuará onde sempre esteve no debate público dos últimos tempos, a glória do próprio ego numa batalha inútil que ninguém é capaz de interromper, mas ao menos uma vez eles ouvirão algo distinto da própria voz de criança, as certezas de quem nunca saiu do próprio bairro mental.

Não sei o que será a minha vida social e profissional daqui em diante. É possível que eu me conforme com o ostracismo que parece inevitável, extraindo até um prazer mesquinho em confundir minha própria decadência com a decadência do universo, um futuro muito diferente do que eu poderia imaginar há menos de uma semana, mas isso é algo para projetar mais adiante. No momento, há uma tarefa mais importante e urgente: quando apareceu a primeira ligação de Dani, por volta das dez da manhã, eu já estava saindo do laboratório. Ela ligou várias vezes, mandou várias mensagens, meu WhatsApp está programado para que o remetente não saiba se li o texto e ouvi o áudio, então fiquei sabendo de tudo sem precisar dar uma resposta imediata: que ela foi à reunião no RH, que a gerente contou sobre o meu pedido de demissão, que o sócio da agência estava presente e fez uma expressão compungida ao dizer que lamentava as coisas terem tomado esse rumo mas veja bem, todavia, entretanto, por outro lado talvez tenha sido necessário, e queremos seguir contando com o seu trabalho que é tão importante para a nossa empresa, e é uma sensação estranha ouvir a voz de Dani falando a respeito enquanto caminho de volta para casa. Um áudio depois do outro, e a angústia se mistura ao alívio de saber que estamos tão perto do fim, o último capítulo que falta enquanto a vida oferece mais um de seus espetáculos banais e inigualáveis, uma manhã de quinta-feira, o ar fresco, as ruas cheias de prédios e lojas, plantas e fios de luz, cachorros, passarinhos, fuligem, choro de criança.

67.

Até a manhã desta quinta-feira, eu nunca deixei de pensar em Fernanda, a amiga de Dani que estuda jornalismo, e em Alexandre, o estudante do último ano de direito, e num certo Kiko, e numa certa Naná, as tantas ofertas que minha namorada recebeu e recebe vindas de pessoas com a ficha mais limpa do que a minha. Eu ficava imaginando se dez meses atrás ela pode ter tido com algum deles conversas semelhantes às que tive com Walter: Dani contando sobre o diretor que a convidou para sair, o publicitário casado, o tio egocêntrico e sem noção como tantos que aparecem na vida de uma garota de vinte anos, e se o que para mim foi a sorte de encontrar uma afinidade sexual inédita para ela não pode ter sido apenas uma curiosidade — um peque-no fetiche que Dani poderá repetir ou adaptar na longa lista da qual fui apenas um dos nomes iniciais, os anos e décadas que ela poderá namorar outros velhos, jovens, homens, mulheres, gente honesta e desonesta, saudável e doente.

Um relacionamento já é tão frágil de qualquer modo, e sem-pre chega o dia em que o desejo diminui, e o encantamento dá lugar a outra coisa, a medida de dor e incomunicabilidade que duas pessoas aguentam ao tentar construir algo sólido sobre a terra que pede para ser arrasada, então ficaria fácil antecipar um cenário pessimista de acordo com indícios colhidos nos últimos dez meses. Dani e eu nunca nos beijamos na frente de outras pessoas. Nunca andamos na rua de mãos dadas. Nunca falamos do futuro. Nunca projetamos o que seria do nosso caso se ele deixasse de ser secreto. O nosso caso deixou de ser secreto da pior forma possível, e apesar de ela ser de uma geração com outros conceitos de intimidade e privacidade, crescida numa era de bullying virtual e chats de punheta com câmeras ao vivo desde a escola primária, um escândalo sexual continua sendo um escândalo sexual. Um diretor misógino continua sendo um diretor misógino. Uma carreira que terminou continua sendo uma carreira que terminou, depois de arrastar ou tentar arrastar junto uma carreira que estava recém começando, então esse peso tem de ser considerado na decisão da minha namorada.

Na manhã de hoje, as informações que Dani tinha de mim eram suficientes para que o pior desfecho fosse o mais provável. A isso eu acrescentarei a informação que o laboratório me passará logo mais. Walter trepou com Teca, Teca trepou comigo, eu trepei com Dani, e isso não pode ser desconsiderado. Eu passei a semana lendo sobre casais de sorologia idêntica ou divergente, sobre relações em que o sangue de cada integrante do casal é monitorado, e é possível zerar a carga viral e fazer sexo cem por cento seguro se forem tomados cem por cento dos cuidados, que incluem camisinha ou nem um único dia de esquecimento da medicação pelo resto dos tempos, mas convenhamos que esse não é um cenário dos mais atraentes para quem acaba de ler uma correspondência como a minha. E que aos vinte anos Dani não vai achar muito atraente ouvir uma proposta assim de alguém como eu. Alguém como eu pode se transformar num espelho de ressentimento, a encarnação diária de um futuro que Dani não pediu para viver e tornou tantas outras opções impossíveis, então os áudios que ela grava agora ainda não contemplam a dimensão total do desastre.

68.

Autora do áudio: Dani. Data: hoje. Trecho: Como você acha que eu me sinto ao saber disso?

69.

Uma vez criei um anúncio em que copiava alguém que copiou alguém que disse: o desastre pode ser definido como uma conversão brusca da natureza. O anúncio falava de uma seguradora que estendia a cobertura a eventos antes não contemplados em suas apólices escatológicas, mas claro que o texto não parava nessa analogia derrotista. Se o desastre pode ser definido assim, dizia o texto, o milagre é a outra face da moeda. A inversão do que aprendemos a ter como expectativa. A forma de não aceitar que o mundo possa ser tão limitado, o que inclui as pessoas, seu caráter, suas potencialidades que descrevo eu, criador do anúncio, para você, cliente da minha sabedoria. Eu nunca quis que esta história fosse mais um relato de autoajuda publicitária, mas ninguém foge daquilo que é: eu ouço a voz de Dani nos fones de ouvido enquanto volto para casa, e é como começar uma conversa que por tantos motivos nunca foi possível, o momento em que chego ao ponto mais baixo e é preciso mudar as coisas até porque já não há alternativa.

70.

Autora do áudio: Dani. Data: hoje. Trecho: Quando é que você ia se dignar a me contar?

71.

Os áudios de Dani não são anteriores apenas ao que preciso dizer a ela quando a encontrar logo mais. Até ouvi-los, era mais cômodo me refugiar no pessimismo: a namorada que me deixaria de qualquer modo, porque ela só estava esperando o pretexto para me trocar por alguém mais jovem. A redatora-júnior sem experiência para perceber o quanto é raro o que aconteceu entre nós. A garotinha incapaz de captar as nuances de um comportamento adulto, de ouvir os argumentos de quem está arrependido sem transformar a decepção em vingança infantilizada.

Eu ouço a voz de Dani e percebo o quanto há de condescendência nesse pessimismo. E como ele me iguala aos que me atacaram nos últimos dias: os que só conseguem ver um indivíduo à distância, a partir de estereótipos e tabus. Dani poderia ser uma mulher fraca, sem autonomia para fugir do papel determinado por uma condição biológica e social, ou então o contrário, a oportunista que aproveitaria o escândalo para colher benefícios como vítima. Em qualquer dos casos ela não teria o discernimento para avaliar as coisas na proporção devida, superando o que o mundo espera que alguém como ela faça em relação a alguém como eu numa época como a nossa.

Até eu ouvir os áudios, Dani era apenas uma lista de gostos, atributos curiosos de personalidade, hábitos que cedo ou tarde vêm à tona no convívio. Era também a afinidade, a sintonia ou como se queira chamar o que aconteceu física e emocionalmente nos últimos dez meses. Mas existem provas que vão ainda além disso num relacionamento. Eu não sabia que Dani seria capaz de se submeter a elas quando começamos a sair, nem quando me apaixonei por ela, nem quando terminei o casamento com Teca, porque em nenhuma dessas ocasiões foi exigido dela mais do que um discurso — as muitas vezes que ela disse que me amava e a frase poderia morrer assim que foi pronunciada, um sentimento declarado que nunca exigiu uma contrapartida radical, o preço a pagar quando a sua biografia, os seus valores e o seu conforto material e psicológico estão verdadeiramente em risco.

72.

Autora do áudio: Dani. Trecho: E tudo porque você está com vergonhazinha [...]. *Meia dúzia de palavras escrotas tipo um ano atrás* [...]. *Você acha que sou sensível a esse ponto. O sinhozinho falou mal da escrava antes de conhecer ela direito* [...]. *Você fez merdas na vida, não diga.* As pessoas não são o que aparentam socialmente, jura. As pessoas têm defeitos. Descobri que meu namorado não é a pessoa sensacional que ele quis demonstrar que era. Um publicitário. Mente. Um homem. Conta vantagem sobre as mulheres que comeu. *Você acha que eu nasci quando? Sério. Precisa ser muito cu preso.*

73.

Autora do áudio: Dani. Trecho: *Você é íntimo o suficiente para comer meu cu, mas não confia em mim nem para contar sobre o que estes debiloides estão dizendo* [...]. *Você acha que não sou adulta para entender* [...]. *Você acha que sou uma retardada como a sua ex-mulher, que vivo da minha imagem de santa, da piedade dos outros* [...]. *Você acha que sou como ela e só posso reagir a uma decepção me vingando. Eu não tive nenhuma participação ativa nisso, não é?* Forçada a ter um caso com um homem casado. Violada na minha condição de mulher. *Eu sou tão retardada que não sei nem me defender de um convite para jantar.*

74.

Autora do áudio: Dani. Trecho: *Eu nunca precisei de ninguém que me defenda* [...]. *Eu trabalho e estudo* [...]. *Eu tomei todas as vacinas e não tenho problema nenhum de autoestima.* [...] *Quem são esses debiloides para opinar sobre o que faço com o meu cu?* [...] *Eu tenho orgulho do meu cu* [...]. *Eu tenho orgulho de tanta coisa, por que não teria disso? Glória ao meu cu nosso senhor deus pai, como se eu dependesse dele para conseguir um emprego* [...]. *Como se eu fosse ficar a vida inteira num emprego em que ganho tipo três salários mínimos* [...]. *Como se eu precisasse passar a vida na sombra do meu sinhozinho. Tipo, sério. Olha bem para mim.*

75.

Eu ouço a voz de Dani enquanto sigo caminhando, e é incrível como uma pessoa consegue mudar sozinha o espetáculo da manhã. Gosto de cortar caminho pela Gabriel Monteiro da Silva. Dos últimos sobrados que restam na João Moura. Da textura da minha camisa recém-passada, do cheiro de amaciante, e a sensação é tão inédita desde o último domingo que talvez eu possa falar em otimismo. Se Dani não está brava comigo pelo que escrevi sobre ela a Walter, pelo que dei margem a escreverem sobre mim e sobre ela na internet, e sim porque soube por terceiros do escândalo e da minha demissão, a paisagem que o mundo terá depois que ela fizer sua escolha também pode ser outra. É compreensível que ela se sinta traída. Eu esperava que o meu sumiço desde ontem não fosse inicialmente compreendido. Mas não havia como ser diferente: eu não quis ter a conversa que terei logo mais com Dani sem antes vir ao laboratório. Eu não quis acrescentar essa dúvida às tantas dúvidas que achava que ela tinha sobre mim.

Até a semana passada, a única prova pública das minhas

intenções com Dani foi ter me separado de Teca. Ontem eu acrescentei a isso o pedido de demissão. Logo mais acrescentarei o registro laboratorial da minha sorologia, e eis o retrato completo de quem se apresentará diante dela nesta quinta-feira: eu e minha história recente e o futuro que começou a desmoronar de tantas formas, nada mais a argumentar ou esconder da minha namorada nem de ninguém. O otimismo também é uma forma de alívio: a sensação de que não há nada mais a perder quando viro na Artur de Azevedo e subo a última ladeira antes da minha rua.

Gosto de chegar ao flat. De cumprimentar o porteiro. De entrar no elevador e tirar a chave do bolso. A sala está iluminada, dá para ver os grãos de poeira nos raios oblíquos, um pedaço do rodapé está descascando, e é tão bom não ter mais nada a perder diante de quem está próximo de cair na mesma situação: depois de me xingar por não ter contado nada para ela, Dani me agradeceu por ter escrito o e-mail tentando salvá-la. Disse que, apesar de ser um sinhozinho escroto, eu ainda tinha alguma dignidade. José Victor é um sinhozinho dissimulado e inseguro, mas Dani gosta dele mesmo assim. Apesar de tudo, Dani falou para José Victor, me sinto culpada também. Não sei como posso ajudar agora. Espero que você esteja bem. Onde você está? Liga este telefone, meu sinhozinho. Fala comigo. Prometo que não fico mais brava com você. Prometo me comportar direitinho. Eu faço o que você quer, você sabe. Quer que eu beba leite no pires? Eu sei que você quer. Liga este telefone, amor. Não faz isso comigo.

76.

Os áudios seguintes terminaram de relatar a conversa na sala do RH. Dani agradeceu a ajuda oferecida pela gerente e pelo sócio da agência. Disse que precisava pensar a respeito. Que tinha muita coisa a ser considerada aí, incluindo o fato de que o sinhozinho não fazia parte da dupla dos chefes diretos da escrava, e nenhum trabalho na agência foi prejudicado por essa relação hierárquica distante, e de qualquer forma essa era a menor das preocupações dela no momento.

A gerente ficou quieta ao ouvir minha namorada. O sócio disse, claro, nós sabemos de tudo isso. Mas você tem certeza de que está à vontade com esse posicionamento? Se quiser, deixo vocês duas sozinhas para discutir o tema com mais cuidado. Não queremos constranger você, o sócio disse, temos o maior interesse em tornar a empresa um ambiente de respeito e empoderamento individual, mas Dani respondeu que ele não precisava se preocupar. Estava tudo bem com ela. Eu só preciso pegar um pouco de ar, Dani completou. Acho que vocês entendem, não?

E então ela levantou, voltou para a sua mesa e passou a meia hora seguinte nas redes sociais sem se importar que alguém passasse atrás dela e presenciasse a cena: a agência inteira esperando pela reação dela ao ler aquilo tudo, cuidando se ela iria chorar, ter uma explosão de raiva, subir na mesa e fazer um discurso ou pedir desculpas aos colegas por ser quem era. Só que ela não fez nada disso. Dani se limitou a escrever um e-mail. Uma mensagem simples, menor do que a que eu tinha escrito no dia anterior, menor do que qualquer uma que eu tenha escrito para Walter nos últimos anos. Na verdade, foram apenas duas linhas dirigidas ao sócio da agência, com cópia para a gerente de RH e para um endereço geral que cai na caixa de todos os duzentos e trinta funcionários. Bom dia, Dani escreveu. Este é meu último expediente de trabalho. Foi um prazer conviver com vocês nesse período tão proveitoso da minha vida. Um beijo no coração e no cu de todos.

77.

Eu nunca quis fazer parte de mais um relato de autoajuda publicitária, mas ninguém foge daquilo que é. *Como a minha vida mudou depois de uma notícia ruim. Como eu renasci depois de uma notícia boa.* Então é preciso aceitar que também sou um desses *casos de recomeço*, com a diferença de que o otimismo no meu caso é um tanto peculiar, e a razão de me sentir assim num momento em que nada me permitiria sequer pensar nessa hipótese vem antes da solução do dilema.

Eu fiz tudo o que deveria fazer antes de saber do resultado do teste. Em nenhum momento eu confundi certezas sobre saúde com certezas sobre moral. Em nenhum momento eu agi motivado pela raiva mais fácil, o sentimento mais fácil de vingança, o que poderia ter acontecido em relação a Walter e a Teca em público ou em particular. Eu não expus a intimidade de ninguém na internet. Eu não fiz perguntas sobre o modo como meu amigo se contaminou. Eu não julguei ninguém do modo como fui julgado, sem ao menos tentar entender os motivos dos réus, testemunhas e demais juízes. Talvez não haja motivos para sair orgulhoso desta história, mas em relação a isso eu estou tranquilo. O que se estende à minha namorada: eu dei provas concretas do que sinto por ela sem saber se seria recompensado, ela acaba de me dar uma prova também, e dez meses depois nos transformamos em algo que eu jamais sonharia quando fomos ao bar do balcão colorido.

Tudo começa no corpo, tudo retornará ao corpo mais adiante, mas parte dessa essência não é apenas decadência física e certeza da morte. Gosto de tirar os sapatos. De abrir a janela do quarto do flat. De ligar o computador, e o tempo se expande numa bolha de praticidade, os minutos em que me distraio decidindo se vou ou não até a cozinha, se abro ou não a gaveta dos talheres para comer ou não alguma coisa.

Eu vejo o que há na geladeira. Eu descasco uma laranja. A laranja tem textura e gosto, o espetáculo do gomo que se rompe e do suco que irriga a língua e o esôfago. Tudo começa e termina no corpo, e aprendi a também ver nessa sensação um sinal bom de que estou vivo — o alimento absorvido, o som que ouço quando respiro. A vida inteira eu temi por este momento, mas quando percebo que não há mais volta eu me sinto pronto. Não há medo ou ansiedade. Eu ainda estou aqui, e isso também faz parte do orgulho, a sensação é de uma plenitude antecipada.

Então eu volto ao computador, digito o endereço do site do laboratório, o usuário e a senha, a tecla *aceito* que vem abaixo de um texto legal padrão.

Passa-se algo como cinco segundos.

A tela está branca.

Mais cinco segundos.

A tela muda. O resultado aparece debaixo do meu nome.

78.

Uns dez minutos depois, estou sentado no vaso. Me concentro no esforço que se transformará no alívio mais antigo que existe. Penso nas fibras da laranja, nas vitaminas e gorduras, no sódio, cálcio, potássio e demais elementos presentes em cada coisa que comi hoje e nos últimos quarenta e três anos. Penso nos ciclos de composição e decomposição. Me limpo com papel, há quem prefira o bidê ou lenços umedecidos, e aperto o botão da descarga.

Dizem que as crianças dão adeus à própria merda em determinada fase da vida, como se estivessem se despedindo de si mesmas, o que não está errado porque somos nós nos canos e no esgoto municipal. Somos nós quando saio do banheiro, o mundo só existe na minha perspectiva. Tiro o telefone do mudo, ligo para Dani. Existo como duas horas atrás, o futuro sou eu para o bem e para o mal.

Dani atende já com a voz calma. Eu peço que ela me ouça, que deixe explicar várias coisas que eu não pude explicar até agora. Marcamos num lugar perto da casa dela. É um restaurante antigo que a esta hora deve estar vazio. Dirijo até lá pensando em como tocar no assunto, as primeiras palavras que usarei, uma carta do presente para o presente dentro das condições que agora reunimos — é o que posso oferecer, meu amor, o resto é uma escolha sua.

Uma carta do presente para o presente: tudo começa no corpo, e dez meses depois estou de novo diante da minha namorada. No julgamento que ela começará agora, no qual também é ré, promotora e juíza, o que inclui a própria conduta, os riscos que ela correu e me fez correr, afinal ela é adulta e também tem uma lista de acidentes, descuidos ou como você queira chamar isso que nos trouxe até aqui, as escolhas e perdas que fazem sermos quem somos e nos sentirmos imortais por um prazo que ninguém sabe qual é — no final desse julgamento, minha esperança é que o milagre continue operando.

A mãe de Dani vai morrer um dia. A última avó de Teca morreu em 2014. A última que eu tinha morreu em 2007. Pelo menos quinze amigos e conhecidos de Walter morreram nas últimas três décadas, e alguns eram meus amigos e conhecidos também, e outros estão por aí e há gente que nunca pensa no assunto porque há tantas sensações na vida que é fácil nos distrairmos com elas apesar de tudo. Agora, por exemplo: o garçom do restaurante bota o cardápio em nossa mesa. Há umas cem opções de pratos. O apetite volta quando folheio as páginas listando massas, carnes, sopas, sobremesas.

Peço estrogonofe, o prato preferido de Dani. Ela diz que podemos dividir. O milagre neutro e silencioso do corpo: células, tecidos. Artérias, músculos. Ossos, tendões. Órgãos, sistemas, sentidos, memória. Eu olho para a minha namorada. Ela me olha de volta. Estamos a um segundo de conversarmos sobre isso tudo pela primeira ou pela última vez. Da rua vem o murmúrio que não cessa, nunca vai cessar: temos tempo, como qualquer um tem.

Agradecimentos

Aos meus editores André Conti e Luiz Schwarcz, e aos que tiveram a generosidade de ler e comentar versões anteriores deste livro: Daniel Galera, Daniel Pellizzari, Emilio Fraia, Juliana Cunha, Marcela Paes, Marcelo Carneiro da Cunha, Maria Emilia Bender e Sofia Mariutti.

Agradeço também ao dr. Marcos Boulos, pelas informações sobre a epidemia de HIV/aids, e a Débora Bacaltchuk, pelas informações sobre o mundo da publicidade. Os erros não propositais e as distorções propositais sobre os dois temas são de responsabilidade do narrador José Victor.

1ª EDIÇÃO [2016] 4 reimpressões

ESTA OBRA FOI COMPOSTA EM ELECTRA PELO ESTÚDIO O.L.M./ FLAVIO PERALTA
E IMPRESSA EM OFSETE PELA GRÁFICA BARTIRA SOBRE PAPEL PÓLEN BOLD
DA SUZANO S.A. PARA A EDITORA SCHWARCZ EM MAIO DE 2021

A marca FSC® é a garantia de que a madeira utilizada na fabricação do papel deste livro provém de florestas que foram gerenciadas de maneira ambientalmente correta, socialmente justa e economicamente viável, além de outras fontes de origem controlada.